les peuples
du Soleil

Couteau
sacrificiel
aztèque

Outils agricoles
méso-américains

Urne
cérémonielle
représentant
Chac, dieu maya
de la pluie

Habit de momie péruvienne

Soucis, offerts par les Aztèques
à leurs dieux

Flûte aztèque en céramique

Vase moché,
figurant un pêcheur sur
son bateau

Vase-portrait
péruvien en
argent

Masque olmèque
en jade

les peuples
du Soleil

par
Elizabeth Baquedano

Photographies originales de Michel Zabé,
Andy Crawford et Dave Rudkin

Mortier et pilon
avec piment

BIBLIOTHÈQUE PUBLIQUE
DU CANTON
D'ALFRED ET PLANTAGENET
WENDOVER

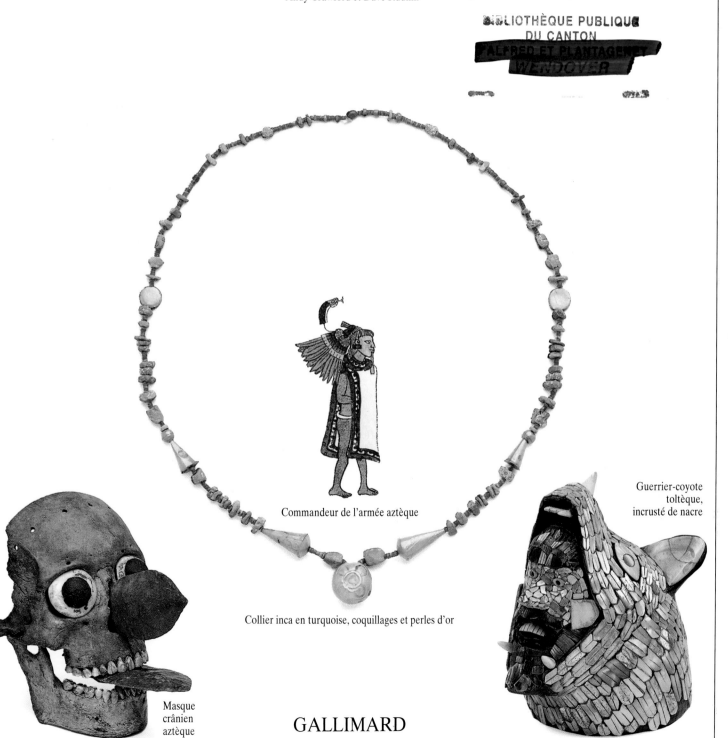

Commandeur de l'armée aztèque

Collier inca en turquoise, coquillages et perles d'or

Guerrier-coyote
toltèque,
incrusté de nacre

Masque
crânien
aztèque

GALLIMARD

Guerrier portant une coiffure de plumes

Collier
zapotèque
en jade

Guerrier
toltèque

Comité éditorial

Londres :
Louise Barratt, Céline Carez, Julia Harris, Cynthia Hole,
Andrew Nash, Helen Parker et Christine Webb

Paris :
Christine Baker, Françoise Favez,
Manne Héron et Jacques Marziou

Edition française préparée par
Lionel Gérard Colbère

Conseillers : Marie-France Fauvet, maître de conférences,
laboratoire d'ethnologie du musée de l'Homme,
et Jean-Louis Heim, professeur d'anthropologie,
Muséum national d'histoire naturelle (musée de l'Homme)

Publié sous la direction de

Peter Kindersley,
Jean-Olivier Héron
et
Pierre Marchand

Eventail
péruvien
en plumes

ISBN 2-07-058136-5
La conception de cette collection est le fruit
d'une collaboration entre les Editions Gallimard
et Dorling Kindersley
© Dorling Kindersley Limited, Londres, 1993
© Editions Gallimard, Paris, 1993, pour l'édition française
Loi n° 49-956 du 16 juillet 1949
sur les publications destinées à la jeunesse
Dépôt légal : octobre 1993. N° d'édition : 64522
Imprimé à Singapour

Tête
mixtèque

Poupée
chancay
en tissu

Ancienne coiffure de plumes péruvienne

SOMMAIRE

Chacmool du Grand Temple aztèque de Tenochitlan

LE PEUPLE MAYA
Les royaumes mayas apparaissent vers 1000 av. J.-C. et durent jusqu'en 1697. Tous les Mayas ont une civilisation et une religion communes, mais il n'y a ni capitale unique ni chef suprême. Chaque cité dispose de son propre gouvernement avec un noble à sa tête. Les statuettes comme celle-ci, trouvée dans l'île de Jaina, constituent une source d'informations très précieuse sur la vie et les coutumes du peuple maya.

AZTÈQUES, MAYAS, INCAS : LES PEUPLES DU SOLEIL
Au XVIᵉ siècle, les explorateurs espagnols découvrent aux Amériques deux grandes civilisations. La Méso-Amérique – zone culturelle comprenant le Mexique et le nord de l'Amérique centrale – est alors contrôlée par les Aztèques et les Mayas, et la région andine centrale est aux mains des Incas. Les peuples de ces contrées forment alors une mosaïque de tribus et de nations dont les réalisations dans le domaine artistique et architectural sont aussi remarquables que leur conception de la vie. Les cultures américaines plus anciennes ont déjà établi les fondements de l'organisation économique, politique et sociale caractéristiques de chacun de ces empires.

Collier orné

Boucle d'oreille lourde et volumineuse

Cette poterie maya représente un dignitaire.

OCÉAN ATLANTIQUE

OCÉAN PACIFIQUE

- Aztèques
- Mayas
- Incas

LA MÉSO-AMÉRIQUE ET L'AMÉRIQUE DU SUD AVANT CHRISTOPHE COLOMB
L'Empire aztèque, dont la capitale est Tenochtitlan, s'étend du Pacifique à la côte atlantique de la Méso-Amérique et le royaume maya en occupe la zone orientale. L'Empire inca s'étend sur 4 000 km le long de la côte ouest de l'Amérique du Sud.

Les Mayas sont de petite taille et robustes. Leurs yeux sombres sont légèrement obliques, et leurs cheveux très noirs.

UNE CIVILISATION DE PREMIER PLAN
Les Mayas sont passés maîtres en arithmétique et en astronomie. Ils possèdent leur propre écriture hiéroglyphique (pp. 40-41). Cependant, les quatre codex mayas qui sont parvenus jusqu'à nous ne révèlent pas grand-chose de leur histoire : ils ne traitent que de rites, d'astronomie et de calendriers.

Codex maya

6

LA FONDATION DE TENOCHTITLAN

Selon la mythologie indienne, le dieu de la tribu aztèque, Huitzilopochtli, a promis aux Aztèques de leur désigner un lieu pour établir et ériger leur grandiose capitale : Tenochtitlan. Il leur dit de chercher un aigle posé au sommet d'un cactus et tenant un serpent dans son bec. Là serait la terre promise. La première page du *Codex Mendoza* (le livre qui raconte l'histoire des Aztèques) illustre la fondation de Tenochtitlan, en 1325 ou en 1345. La ville de Mexico sera construite au même endroit.

L'OR DES INCAS

Les Incas excellent dans le travail de l'argent, du cuivre et de l'or (pp. 50-51). On a trouvé cette figurine féminine parmi des offrandes incas destinées aux dieux.

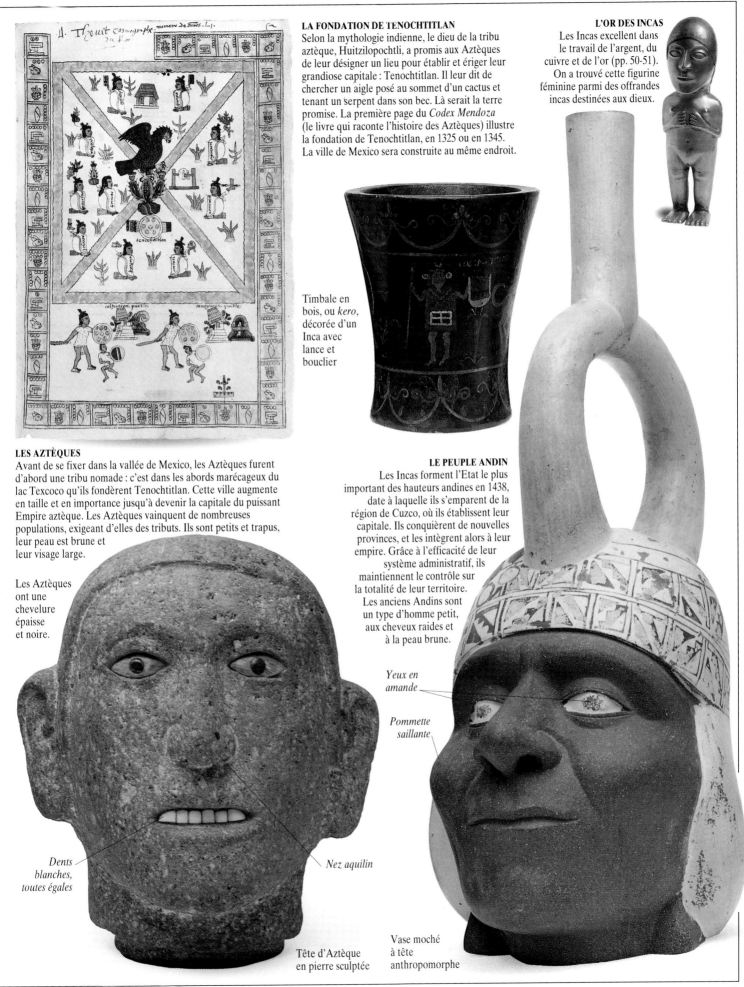

Timbale en bois, ou *kero*, décorée d'un Inca avec lance et bouclier

LES AZTÈQUES

Avant de se fixer dans la vallée de Mexico, les Aztèques furent d'abord une tribu nomade : c'est dans les abords marécageux du lac Texcoco qu'ils fondèrent Tenochtitlan. Cette ville augmente en taille et en importance jusqu'à devenir la capitale du puissant Empire aztèque. Les Aztèques vainquent de nombreuses populations, exigeant d'elles des tributs. Ils sont petits et trapus, leur peau est brune et leur visage large.

Les Aztèques ont une chevelure épaisse et noire.

LE PEUPLE ANDIN

Les Incas forment l'Etat le plus important des hauteurs andines en 1438, date à laquelle ils s'emparent de la région de Cuzco, où ils établissent leur capitale. Ils conquièrent de nouvelles provinces, et les intègrent alors à leur empire. Grâce à l'efficacité de leur système administratif, ils maintiennent le contrôle sur la totalité de leur territoire. Les anciens Andins sont un type d'homme petit, aux cheveux raides et à la peau brune.

Yeux en amande

Pommette saillante

Dents blanches, toutes égales

Nez aquilin

Tête d'Aztèque en pierre sculptée

Vase moché à tête anthropomorphe

TROIS MILLÉNAIRES D'ART ET D'INVENTIONS

La Méso-Amérique et la zone andine sont les seules régions à s'être dotées de civilisations urbaines, ou de « cultures supérieures », à l'époque de la conquête espagnole. Bien des éléments contribuent à distinguer nettement la civilisation méso-américaine : la construction de pyramides et de temples spectaculaires, l'existence de grands marchés, le jeu de balle, un calendrier sacré, l'écriture hiéroglyphique, un ensemble de dieux et la pratique de sacrifices humains. L'histoire culturelle de cette partie du monde comprend trois périodes principales : préclassique, classique et postclassique, qui s'étendent d'environ 2000 av. J.-C. à la conquête espagnole, en 1519. Ces périodes voient l'épanouissement et la chute de nombreuses civilisations. Les Olmèques dominent la période préclassique. La culture de Teotihuacan et les Mayas marquent l'ère classique. La période postclassique est dominée par le militarisme, les conflits et des empires guerriers comme ceux des Toltèques et des Aztèques.

LES AZTÈQUES EN GUERRE
A son apogée, l'Empire aztèque est fort et prospère. Les zones conquises sont maintenues sous la domination de l'armée aztèque. Cette illustration représente un commandeur de l'armée.

RITUEL MAYA
La religion était au centre de la vie de chaque Maya. L'une des réalisations majeures de ce peuple est la construction de magnifiques temples et autres édifices destinés à honorer leurs dieux. Ces bâtiments sont décorés de sculptures telles que ce linteau où l'on voit une femme extraire du sang de sa langue. Le sacrifice de soi-même était alors une pratique courante dans toute la Méso-Amérique.

CARTE DE LA MÉSO-AMÉRIQUE
La Méso-Amérique est une entité à la fois géographique et culturelle. A l'époque de la conquête espagnole, elle comprend la zone qui correspond, au XXe siècle, au centre et au sud du Mexique, à la péninsule du Yucatan, au Guatemala, à Belize, au San Salvador, à la partie la plus occidentale du Honduras et à une petite partie du Nicaragua et du nord du Costa Rica.

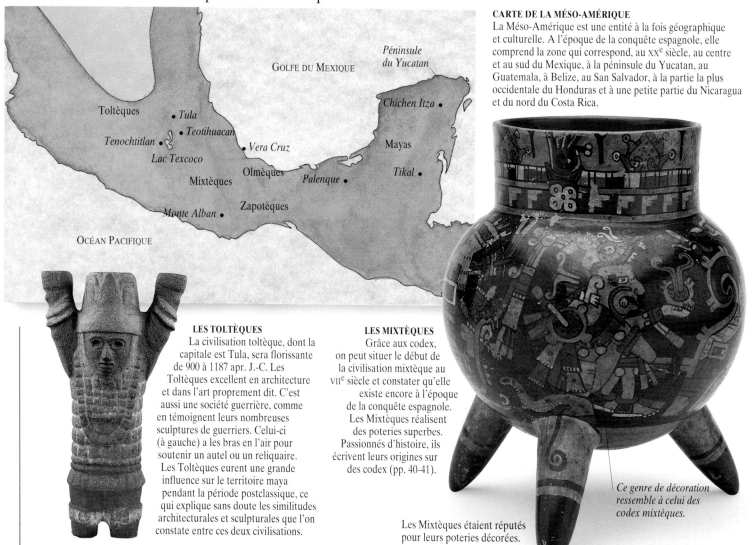

GOLFE DU MEXIQUE

Péninsule du Yucatan

Toltèques
• Tula
• Teotihuacan
Tenochtitlan
Lac Texcoco
• Vera Cruz
Chichen Itza
Mayas
Olmèques
Palenque •
Tikal
Mixtèques
Monte Alban • Zapotèques

OCÉAN PACIFIQUE

LES TOLTÈQUES
La civilisation toltèque, dont la capitale est Tula, sera florissante de 900 à 1187 apr. J.-C. Les Toltèques excellent en architecture et dans l'art proprement dit. C'est aussi une société guerrière, comme en témoignent leurs nombreuses sculptures de guerriers. Celui-ci (à gauche) a les bras en l'air pour soutenir un autel ou un reliquaire. Les Toltèques eurent une grande influence sur le territoire maya pendant la période postclassique, ce qui explique sans doute les similitudes architecturales et sculpturales que l'on constate entre ces deux civilisations.

LES MIXTÈQUES
Grâce aux codex, on peut situer le début de la civilisation mixtèque au VIIe siècle et constater qu'elle existe encore à l'époque de la conquête espagnole. Les Mixtèques réalisent des poteries superbes. Passionnés d'histoire, ils écrivent leurs origines sur des codex (pp. 40-41).

Ce genre de décoration ressemble à celui des codex mixtèques.

Les Mixtèques étaient réputés pour leurs poteries décorées.

TEOTIHUACAN

La culture de Teotihuacan sera florissante de l'an 1 apr. J.-C. à 750. C'est la plus influente dans toute la Méso-Amérique, et la ville de Teotihuacan est la plus impressionnante. Aujourd'hui, nous savons peu de chose sur les caractéristiques physiques de ce peuple, mais les masques trouvés à Teotihuacan nous donnent néanmoins une bonne idée de son allure générale.

Cette tête en basalte, d'une hauteur de 1,50 m, pèse plus de 20 tonnes.

Trou dans le lobe pour la boucle d'oreille

Les masques représentent parfois le visage de défunts.

Masque en pierre verte de Teotihuacan

TÊTE DE COLOSSE

On a découvert plusieurs têtes semblables à celle-ci au cœur du pays olmèque, dans la région du golfe du Mexique. Il s'agit peut-être de joueurs de balle, de gouverneurs ou de chefs.

LES OLMÈQUES

La civilisation olmèque sera florissante de 1200 à 200 av. J.-C. Ce peuple lègue aux autres cultures d'Amérique les tertres en plate-forme, les places cérémonielles, les terrains de jeu de balle et l'écriture hiéroglyphique. On a trouvé des outils olmèques en de nombreuses régions de Méso-Amérique. Leur art est naturaliste et symbolique. Cette figurine représente probablement un bébé sans cheveux.

Les caractères du visage sont voisins de ceux des peuples du Sud-Est asiatique.

Noble zapotèque essayant une coiffe richement ornée de bijoux

LA CIVILISATION ZAPOTÈQUE

Les Zapotèques, dont la capitale est Monte Alban, s'établissent vers 600 av. J.-C. et déclinent vers 800 apr. J.-C. A cette époque, l'Etat zapotèque est l'un des plus vastes de la Méso-Amérique, mais il tombera finalement sous influence mixtèque. Les Zapotèques excellent dans l'art des plumes et dans la fabrication de bijoux en or.

Figurine olmèque d'un bébé sans cheveux

LES NAZCA
Les Nazca habitent les vallées côtières du sud du Pérou de 300 av. J.-C. à 600 apr. J.-C. Ils sont réputés pour leur artisanat textile et métallurgique. Mais leurs plus belles œuvres sont les poteries peintes, réalistes ou illustrées de scènes mythologiques.

LES INCAS : NAISSANCE D'UN EMPIRE AU CŒUR DES ANDES

Avant que l'Empire inca n'ait atteint son apogée en Amérique latine, de nombreuses cultures andines ont déjà posé les fondements de son succès. À défaut de documents écrits sur leur histoire, tout ce que l'on sait d'elles aujourd'hui provient de leur architecture, de leur poterie, et de vestiges trouvés dans les tombes. Les archéologues identifient différentes étapes de progrès culturels, la période inca étant la plus évoluée. Les premières sociétés complexes se forment vers 1800 avant notre ère. Entre cette époque et l'émergence des Incas au milieu du XVᵉ siècle, des cultures variées apparaissent. Elles se transforment progressivement en civilisations hautement évoluées comprenant des structures sociales, un système politique et économique, des artisans spécialisés et une religion dans laquelle on adore de nombreux dieux. Le long de la côte désertique du Pérou, on trouve des États très civilisés comme ceux des Nazca, des Moché et des Chimu.

Dans les hauteurs, les cultures huari et tiahuanaco sont hautement organisées. De 1438 à 1534, tous ces éléments sont réunis pour former l'Empire inca.

NOBLES INCAS
Les scènes peintes sur les vases et autres objets sont autant d'informations sur la vie et les coutumes des peuples andins. Ainsi, cette peinture sur une timbale en bois, ou *kero*, indique que les nobles incas portaient habituellement une lance.

LES MOCHÉ
Le peuple moché est connu sur la côte désertique du nord du Pérou entre l'époque du Christ et l'an 600 de notre ère. Il comprend des orfèvres et des tisserands expérimentés, ainsi que des potiers remarquables. Ses représentations humaines, de plantes, d'animaux et de dieux dans des situations variées sont une source d'informations sur la vie quotidienne.

Personnage moché de haut rang portant un bandeau orné d'un jaguar et des boucles d'oreilles

LES TIAHUANACO
L'Empire tiahuanaco s'établit sur les hauteurs du Pérou et de la Bolivie entre 500 et 650 apr. J.-C. C'est un Etat puissant, doté d'un centre cérémoniel impressionnant.

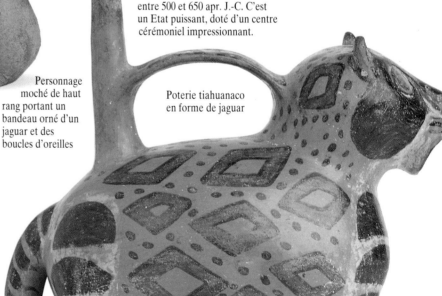

Poterie tiahuanaco en forme de jaguar

LES HUARI
Les Huari (500 à 900 apr. J.-C.) sont des voisins des Tiahuanaco. Ils possèdent un Etat hautement structuré, un système d'irrigation efficace et un style architectural spécifique. Ils se sont étendus par la conquête des régions environnantes. De nombreux acquis des Huari, comme les techniques de la poterie, seront repris par d'autres cultures andines. Les Huari ont aussi un style artistique propre. Un thème répandu est le dessin d'« ange » ailé, illustré ci-contre.

Les styles artistiques des Tiahuanaco et des Huari ont de nombreux symboles communs, notamment celui des félins.

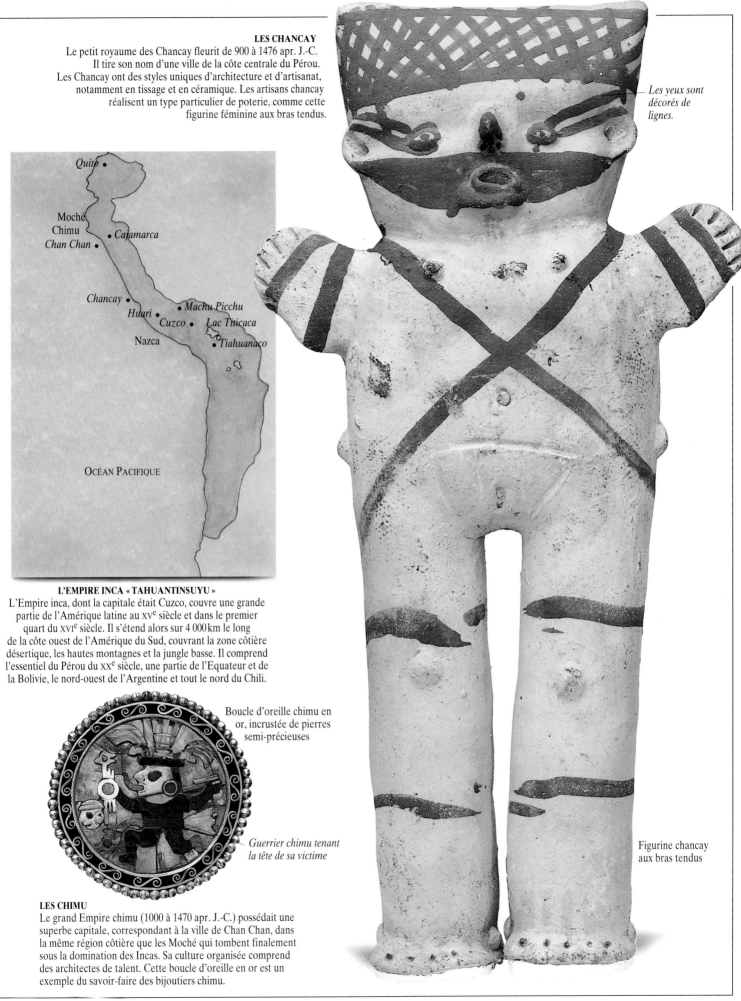

LES CHANCAY

Le petit royaume des Chancay fleurit de 900 à 1476 apr. J.-C. Il tire son nom d'une ville de la côte centrale du Pérou. Les Chancay ont des styles uniques d'architecture et d'artisanat, notamment en tissage et en céramique. Les artisans chancay réalisent un type particulier de poterie, comme cette figurine féminine aux bras tendus.

Les yeux sont décorés de lignes.

Quito

Moché
Chimu
Chan Chan · Cajamarca

Chancay
Huari · Machu Picchu
Cuzco · Lac Titicaca
Nazca · Tiahuanaco

OCÉAN PACIFIQUE

L'EMPIRE INCA « TAHUANTINSUYU »

L'Empire inca, dont la capitale était Cuzco, couvre une grande partie de l'Amérique latine au XVe siècle et dans le premier quart du XVIe siècle. Il s'étend alors sur 4 000 km le long de la côte ouest de l'Amérique du Sud, couvrant la zone côtière désertique, les hautes montagnes et la jungle basse. Il comprend l'essentiel du Pérou du XXe siècle, une partie de l'Equateur et de la Bolivie, le nord-ouest de l'Argentine et tout le nord du Chili.

Boucle d'oreille chimu en or, incrustée de pierres semi-précieuses

Guerrier chimu tenant la tête de sa victime

LES CHIMU

Le grand Empire chimu (1000 à 1470 apr. J.-C.) possédait une superbe capitale, correspondant à la ville de Chan Chan, dans la même région côtière que les Moché qui tombent finalement sous la domination des Incas. Sa culture organisée comprend des architectes de talent. Cette boucle d'oreille en or est un exemple du savoir-faire des bijoutiers chimu.

Figurine chancay aux bras tendus

UNE AGRICULTURE OÙ RIEN N'EST LAISSÉ AU HASARD

Avant Christophe Colomb, l'agriculture était une ressource vitale pour les Indiens. En fait, au moment de la conquête espagnole (p. 62), leur système de culture est le plus perfectionné du monde. Le maïs en Méso-Amérique et la pomme de terre dans les Andes (pp. 24-25) sont quelques-unes de leurs contributions à notre menu quotidien. En Amérique latine, la force humaine représentait la seule source d'énergie, car il n'existait pas de bêtes de somme. Toutefois, dans les Andes, le lama assurait le portage de très petits fardeaux.

Les méthodes agricoles dépendaient du climat et de la configuration des lieux, les Aztèques obtenant leurs meilleures récoltes dans les « chinampas », situés sur les pourtours marécageux des lacs.

UNE DÉESSE DE L'AGRICULTURE
Ce brûle-parfum (utilisé pour la combustion d'une résine nommée *copal*) représente une déesse de l'agriculture. Ces divinités sont souvent parées d'un éventail en papier plié, comme c'est le cas ici.

LA CONSTRUCTION DES « CHINAMPAS »
Les *chinampas* (ci-dessous) sont délimités par d'étroites bandes rectangulaires dans des zones marécageuses. D'étroits chenaux séparant les bandes permettent de circuler en canoë. Les Aztèques constituaient le sol de leurs *chinampas* par couches successives de végétaux aquatiques coupés et de boue prélevée au fond du lac. Ainsi, ces parcelles étaient surélevées au-dessus de l'eau par l'empilage de ces deux types d'éléments, les saules aux angles de chaque *chinampa* étant là pour le renforcer.

PARCELLES FERTILES
Dans les *chinampas* on cultivait des légumes, des fleurs, des plantes ainsi que des herbes médicinales.

La boue du lac est si riche qu'elle sert d'engrais.

Maïs

Grande lame large

L'OUTIL DU CULTIVATEUR
Le bâton à creuser, ou *uictli*, était le principal outil aratoire. C'est un instrument pour biner et planter.

LE BÂTON À CREUSER
Il est réalisé dans un bois très résistant à l'usure et aux chocs.

LES SEMAILLES
Cette illustration du *Codex Florentino* représente un cultivateur aztèque qui plante du maïs à l'aide d'un bâton à creuser.

Tranchant en cuivre

LA MOISSON
La vie en Méso-Amérique et dans les Andes suit les rythmes saisonniers de l'agriculture : plantation, culture et récolte (notamment celle du maïs).

Tête en pierre

Manche en bois

Ce vase nazca représente un homme, peut-être un cultivateur, tenant une plante dans chaque main.

LA RÉCOLTE DU MAÏS
Le maïs, qui joue encore un grand rôle de nos jours, constituait l'aliment de base des Mayas et des Aztèques.

LES HACHES
Elles servent aussi de marteau.

VASE EN FORME D'ÉPI
Les poteries andines ont souvent la forme des fruits et légumes cultivés dans la région. La culture du maïs, originaire de Méso-Amérique, s'est très tôt largement répandue.

Tête fixée au manche par une corde

HOUE
Les Indiens utilisaient cet outil comme une bêche, pour retourner le sol des parcelles.

LES TERRASSES DU MACHU PICCHU
Les Incas avaient des méthodes perfectionnées de culture en terrasses, et d'irrigation, qui amélioraient beaucoup les rendements. Les terrasses permettent de mettre en culture une bien plus grande surface et protègent le terrain de l'érosion due au vent et à la pluie.

EN TOUTE SIMPLICITÉ
Dans les régions andines, l'agriculture était la base de l'existence. Les cultivateurs avaient des outils simples : un bâton à creuser, un brise-mottes et une houe.

POISSON EN JADE
Les peuples côtiers s'inspiraient des poissons et de la vie marine pour décorer leurs poteries et sculpter des objets en jade.

LE FILET, L'ARC ET LA FRONDE

À l'époque précolombienne, chasse et pêche sont des activités importantes en Méso-Amérique et dans les régions andines. La viande et le poisson font partie du menu, particulièrement dans les Andes. Les espèces consommées varient selon les animaux disponibles. La faune abonde dans les hautes montagnes du Nord, avec de grands mammifères tels que les vigognes (cousines sauvages du lama) et les cerfs. On les chasse à l'arc. Des animaux plus petits – lapins ou chiens sauvages – sont capturés au filet. Les Indiens pêchent alors tout ce qu'ils trouvent au filet, au harpon ou à la ligne : des coquillages, des poissons de toute taille, et même des mammifères aquatiques. Ils confectionnent hameçons et harpons avec les épines très dures du cactus, ou les sculptent dans l'os, ou encore dans un coquillage.

En Amérique du Sud, les hameçons sont également en cuivre.

LA CHASSE AU GIBIER D'EAU
Elle était répandue dans les régions lacustres de Méso-Amérique.

Filet attaché dans le dos du pêcheur

PÊCHEUR AU TRAVAIL
Sur ce vase à bec en forme d'étrier, un pêcheur moché rame dans une barque en balsa. C'est une scène typique de la côte péruvienne.

TRADITIONS FAMILIALES
De nombreux métiers tels que celui de la pêche se transmettaient de père en fils. Les garçons apprennent à pêcher dès leur plus jeune âge. A 14 ans, ils savent se débrouiller tout seuls.

Les Aztèques et les Mayas construisaient leurs canoës dans des troncs d'arbres creusés (barques dites monoxyles).

Barque en roseaux tressés

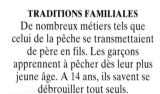

BARQUE EN ROSEAUX
Dans certaines régions pauvres en arbres, on fabrique les bateaux en roseaux. Ce type d'embarcation est encore utilisé de nos jours sur les plans d'eau des hauteurs andines autour du lac Titicaca et sur la côte. Les barques les plus grandes (4,50 à 6,10 m de long) sont pourvues d'un mât en bois pour monter et descendre les voiles en roseaux.

FILET DE PÊCHE
Les lacs raccordés dans et autour de Tenochtitlan fournissaient les habitants en poisson, en gibier d'eau et en eau potable, tout en permettant aussi d'arroser les cultures. Parfois, on transporte le poisson vers les marchés dans des canoës pour le vendre. Encore aujourd'hui, les Mexicains fabriquent des filets semblables à ceux que confectionnaient, un demi-millénaire auparavant, les Aztèques et les autres peuples de Méso-Amérique. Chez les Aztèques, le type de filet le plus commun était, comme celui-ci, en forme de poche, et réalisé en fibre tirée des feuilles d'agave.

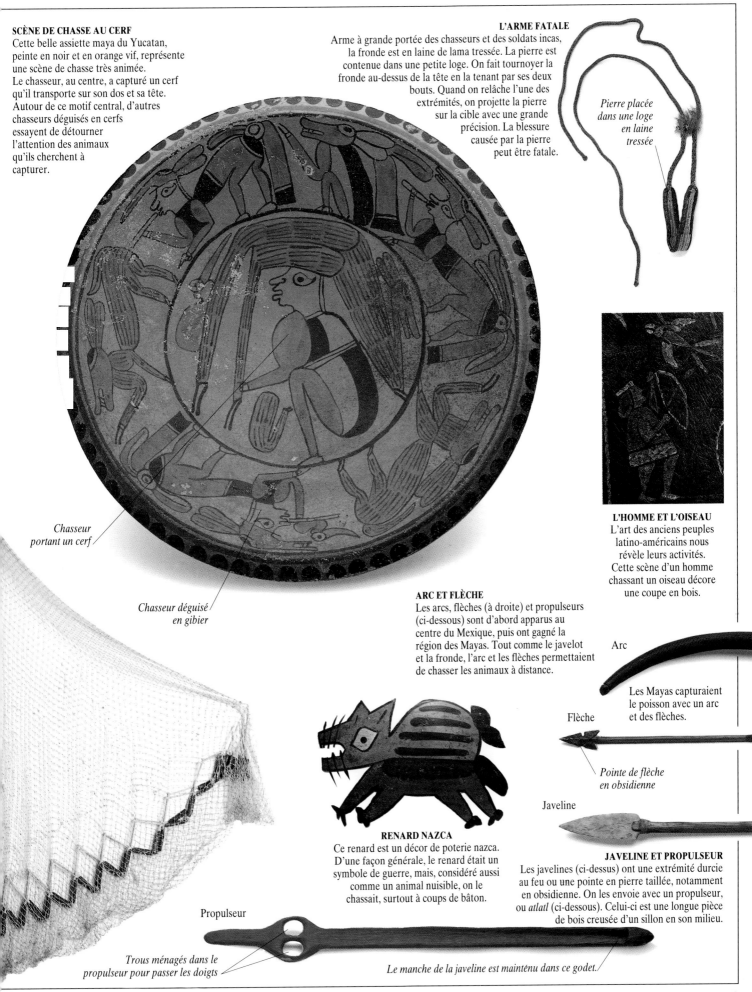

SCÈNE DE CHASSE AU CERF
Cette belle assiette maya du Yucatan, peinte en noir et en orange vif, représente une scène de chasse très animée. Le chasseur, au centre, a capturé un cerf qu'il transporte sur son dos et sa tête. Autour de ce motif central, d'autres chasseurs déguisés en cerfs essayent de détourner l'attention des animaux qu'ils cherchent à capturer.

Chasseur portant un cerf

Chasseur déguisé en gibier

L'ARME FATALE
Arme à grande portée des chasseurs et des soldats incas, la fronde est en laine de lama tressée. La pierre est contenue dans une petite loge. On fait tournoyer la fronde au-dessus de la tête en la tenant par ses deux bouts. Quand on relâche l'une des extrémités, on projette la pierre sur la cible avec une grande précision. La blessure causée par la pierre peut être fatale.

Pierre placée dans une loge en laine tressée

L'HOMME ET L'OISEAU
L'art des anciens peuples latino-américains nous révèle leurs activités. Cette scène d'un homme chassant un oiseau décore une coupe en bois.

ARC ET FLÈCHE
Les arcs, flèches (à droite) et propulseurs (ci-dessous) sont d'abord apparus au centre du Mexique, puis ont gagné la région des Mayas. Tout comme le javelot et la fronde, l'arc et les flèches permettaient de chasser les animaux à distance.

Arc

Les Mayas capturaient le poisson avec un arc et des flèches.

Flèche

Pointe de flèche en obsidienne

Javeline

RENARD NAZCA
Ce renard est un décor de poterie nazca. D'une façon générale, le renard était un symbole de guerre, mais, considéré aussi comme un animal nuisible, on le chassait, surtout à coups de bâton.

JAVELINE ET PROPULSEUR
Les javelines (ci-dessus) ont une extrémité durcie au feu ou une pointe en pierre taillée, notamment en obsidienne. On les envoie avec un propulseur, ou *atlatl* (ci-dessous). Celui-ci est une longue pièce de bois creusée d'un sillon en son milieu.

Propulseur

Trous ménagés dans le propulseur pour passer les doigts

Le manche de la javeline est maintenu dans ce godet.

LES VILLES DE MÉSO-AMÉRIQUE : À L'ORIGINE DES MÉGAPOLES

Les peuples de Méso-Amérique ont construit leurs cités sur des sites et sous des climats très divers : les unes en altitude et d'autres dans la jungle ou dans les régions côtières. Les Olmèques installèrent leurs villes dans des zones tropicales ; le peuple de Teotihuacan, les Toltèques, ainsi que les Aztèques les établirent sur des hauteurs ; les Mayas les ont érigées à la fois en altitude et dans les basses terres. Ces différences géographiques influencent l'architecture urbaine. Avec le temps, les cités sont devenues de plus en plus grandes. Les Olmèques (1200 av. J.-C.) vivaient dans de petites agglomérations, tandis que, pour Teotihuacan (200 apr. J.-C.), l'estimation est d'au moins 150 000 personnes. Le centre des villes était réservé à des édifices religieux et publics, aux demeures des dirigeants et de l'élite. Les maisons des gens ordinaires étaient construites en dehors de ces espaces.

CHICHEN ITZA
La ville maya de Chichen Itza occupe une position stratégique, au centre de la péninsule du Yucatan. Elle devint un important centre commercial en contact avec de nombreuses régions. On pense que les envahisseurs toltèques se sont installés au même endroit.

Temple pyramidal El Castillo à Chichen Itza

LE TRIBUT DES VILLES
Le *Codex Mendoza* (p. 7) donne le nom des villes qui payent un tribut à Tenochtitlan, ainsi que les biens à verser (considérables, même pour les normes actuelles). Chaque hiéroglyphe (à gauche) représente une ville assujettie.

PALENQUE
Ce temple maya est situé à Palenque, au milieu de la jungle tropicale. La chambre funéraire du seigneur Pacal est à l'intérieur de la pyramide (p. 53). Il régna pendant 68 ans et fut enseveli en ce lieu superbe en 683 apr. J.-C. Son sarcophage contient quelques-uns des plus beaux objets de jade trouvés en Méso-Amérique.

Temple des Inscriptions à Palenque

Autel de Tlaloc, dieu de la pluie

Grand Temple aztèque

Escalier du temple

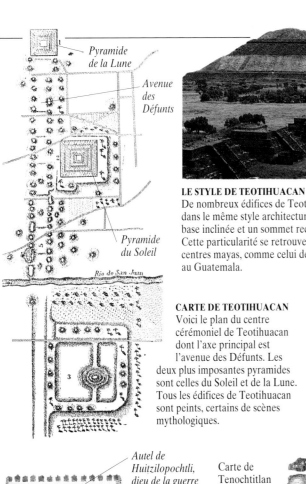

Pyramide de la Lune

Avenue des Défunts

Pyramide du Soleil

Rio de San Juan

LE STYLE DE TEOTIHUACAN
De nombreux édifices de Teotihuacan sont construits dans le même style architectural. Ils présentent une base inclinée et un sommet rectangulaire aplati. Cette particularité se retrouve dans certains centres mayas, comme celui de Tikal au Guatemala.

CARTE DE TEOTIHUACAN
Voici le plan du centre cérémoniel de Teotihuacan dont l'axe principal est l'avenue des Défunts. Les deux plus imposantes pyramides sont celles du Soleil et de la Lune. Tous les édifices de Teotihuacan sont peints, certains de scènes mythologiques.

GUERRIER TOLTÈQUE
Voici l'un des guerriers du sommet du temple B. Autrefois, ces statues supportaient un toit. Le guerrier possède un propulseur pour javeline. Sa cuirasse en forme de papillon indique, elle aussi, sa fonction guerrière.

Ce temple est le temple B, ou temple de Quetzalcoatl.

DIEU PACIFISTE, PEUPLE GUERRIER
Tula, la capitale toltèque, reflète le début d'une grande ère d'actes militaires. Bien qu'il s'agisse de la capitale du dieu Quetzalcoatl, opposé à la guerre et aux sacrifices humains, on y voit partout des sculptures de guerriers en tenue de combat, jusqu'au sommet des temples pyramidaux.

Autel de Huitzilopochtli, dieu de la guerre

Carte de Tenochtitlan

Crânes des victimes sacrificielles

Foyer

TENOCHTITLAN
On voit, sur cette carte européenne, la ville de Tenochtitlan, centre géographique et spirituel de l'Empire aztèque (à gauche). La cité est bâtie sur un lac et marquée en croix par quatre chaussées qui sont l'œuvre de l'homme. Les conquistadores décrivent des rues grandes, larges et rectilignes. Le Grand Temple aztèque (pp. 30-31) est au centre. La maquette photographiée ci-dessous le montre à l'intérieur de l'enceinte sacrée. Il est dédié à la fois au dieu de la pluie et à celui de la guerre qui était la divinité principale des Aztèques. A l'extérieur du centre cérémoniel se trouvent les palais, les écoles des guerriers, des sanctuaires, et un terrain de jeu de balle (pp. 58-59).

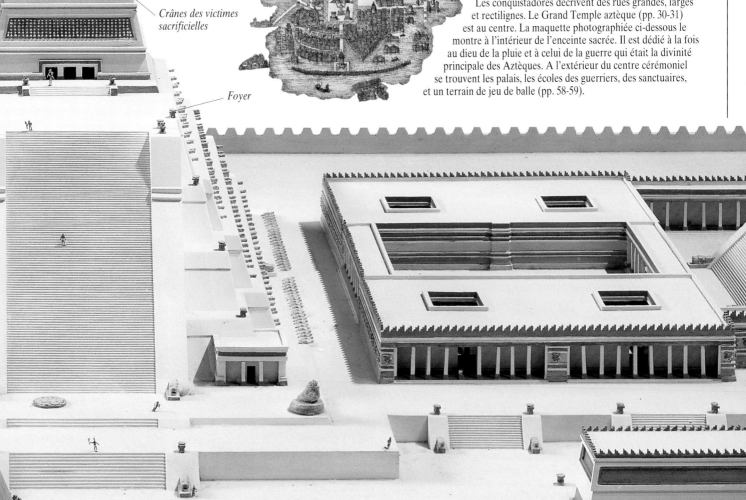

BOUE OU GRANIT : LES VILLES DES ANDES

La porte du Soleil à Tiahuanaco

Les peuples des Andes vivaient soit en altitude, soit dans les régions côtières. Leurs cités étaient construites avec les matières premières locales. Dans les régions d'altitude, les bâtisses avaient un toit en chaume et des murs de pierres sèches. Sur la côte, ce sont souvent un toit plat et des murs en brique crue, dite boue séchée (adobe), dont les peintures ont été exécutées sur une surface d'enduit lui aussi à base de boue. Les villes de montagne, comme Machu Picchu, ne peuvent être construites sur un plan à angles droits, à l'instar de celles des plaines côtières comme Chan Chan. Les premiers bâtiments considérés comme maisons d'habitation remontent au IVe siècle av. J.-C. Les édifices publics tels que ceux du gouvernement, les entrepôts, les ponts et les canaux étaient construits grâce à un impôt sur le travail, l'État fournissant les matériaux.

LES TAILLEURS DE PIERRE INCAS
Après avoir découpé les énormes pierres à la masse, ils les polissent au sable humide afin qu'elles s'ajustent exactement, sans requérir de mortier.

TIAHUANACO
La ville de Tiahuanaco (p. 10) se dresse sur un haut plateau situé à près de 4 000 m au-dessus du niveau de la mer, entouré par les sommets des Andes. L'architecture étonnante de ce centre cérémoniel comporte d'impressionnantes sculptures sur pierre. La porte du Soleil (ci-dessus) est taillée dans un unique bloc de pierre (monolithe). La sculpture que l'on voit au milieu du linteau représente une divinité du Soleil.

OLLANTAYTAMBO
La ville inca d'Ollantaytambo possède des vestiges architecturaux parmi les plus impressionnants du Pérou. Cet encadrement de porte est formé de blocs de pierre rectangulaires. Chacun d'eux est découpé avec une grande précision pour occuper un emplacement spécifique.

Motif d'oiseau sur le mur en adobe d'un complexe architectural de Chan Chan

Complexe royal de Chan Chan, capitale du royaume chimu

DÉCOR EN ADOBE
Les Chimu ornaient leurs épais murs de boue (adobe) d'animaux moulés – généralement associés au thème de la mer : oiseaux, poissons – et aussi d'hommes dans des embarcations.

CHAN CHAN
Les Chimu ont construit leurs propres centres urbains. La capitale côtière de l'Empire chimu, Chan Chan, en est un bon exemple. Sa superficie d'environ 6 km² est organisée selon un plan quadrangulaire. La cité comporte dix complexes architecturaux, chacun entouré d'un haut mur d'adobe. On pense qu'il s'agit de résidences des rois chimu et de centres administratifs. Chaque roi vivait, mourait et était enterré dans un complexe architectural différent.

Carte
européenne
de Cuzco

CUZCO

La capitale religieuse et politique des Incas est située au cœur des Andes.
Elle est entourée de sommets montagneux. D'étroites rues pavées la divisent
en quartiers, symbolisant les quatre régions de l'Empire. Elle possède des places
cérémonielles, des palais et des temples. Seuls les dirigeants et les nobles
vivaient dans le centre. Ce dessin européen illustre à tort Cuzco entourée de
murs. Une grande partie de Cuzco sera détruite par les Espagnols qui édifieront
leur ville sur les ruines des Incas.

Murs en pierre
du fort de
Sacsahuaman

LE FORT DE SACSAHUAMAN

Cuzco était protégée de l'ennemi par la forteresse de Sacsahuaman, qui
s'élève sur une colline au versant abrupt, dominant la cité du côté nord.
Elle est construite en pierres d'origine locale, et chaque bloc géant a été
façonné séparément. Les trois impressionnants murs d'enceinte, hauts
de 16 m, protègent la forteresse.

LES BAINS INCAS

Les palais des Incas étaient parfois dotés
de bains en pierre où les rois venaient
se baigner et se détendre. L'eau y est
amenée par des gouttières également
en pierre. Ces bains de Tambomachay,
construits à l'emplacement d'une source
sacrée, près de Cuzco, ont été utilisés
par les souverains incas.

Machu Picchu

Bains incas à
Tambomachay

MACHU PICCHU

Située en position stratégique aux confins de l'Empire inca, la cité de Machu Picchu
a été probablement construite à la fin du XVe siècle. Curieusement, elle reste inconnue
des conquistadores espagnols, et n'est redécouverte qu'en 1911. Cette ville constitue un
remarquable exemple d'architecture inca : une forteresse naturelle protégée par des
pentes abruptes, entourée de pics montagneux élevés, et dont une seule voie
permet l'accès. Machu Picchu comporte 143 édifices en granite dont 80
sont des maisons, les autres étant des bâtiments cérémoniels
tels que des temples. Le site a livré de nombreuses
momies, la plupart étant probablement
des femmes.

COUPLE ENLACÉ

En Méso-Amérique et dans les régions du nord des Andes, le rôle de la femme indienne était d'obéir à son mari. Même dans les œuvres d'art, les femmes sont souvent représentées dans une position passive, et l'homme dans un rôle plus actif. Cette statue maya en terre cuite est celle d'un homme tenant une femme dans ses bras. Tous deux portent des coiffures élaborées et des bijoux : ce sont des gens aisés !

L'ORDRE EN LA DEMEURE

En Méso-Amérique, l'homme, époux et père, était responsable du bien-être de sa maisonnée. Il subvenait aux besoins de sa famille et apportait son soutien au gouvernement, en travaillant dur et en payant ses impôts. La femme, épouse et mère, tenait la maison et s'occupait des enfants. Les filles apprenaient les tâches domestiques, comme la cuisine et le tissage, tandis que les garçons suivaient leur père au travail. L'école était gratuite, et les nobles disposaient de leurs propres écoles. On apprenait aux enfants à être respectueux et obéissants. La vie familiale était analogue dans la région nord des Andes. Les Incas du peuple devaient cependant éduquer eux-mêmes leurs enfants. Plus au sud, la femme avait un rôle décisionnel parfois fort important.

Les yeux et les dents de cette statuette sont des coquillages incrustés.

Couple aztèque pendant la cérémonie du mariage

JEUNES MARIÉS

L'un des rituels de la cérémonie aztèque du mariage consistait à nouer ensemble la tunique du jeune homme et la robe de sa compagne. Puis les festivités du mariage commençaient, avec danses et chants.

BÉNÉDICTION DE LA FERTILITÉ

Les Indiens de Méso-Amérique et les Incas considéraient qu'il était important pour un couple marié d'avoir des enfants. Les Aztèques vénéraient la déesse de la fertilité. Cette sculpture sur bois aztèque, d'une jeune femme torse nu mais vêtue d'une jupe, représente peut-être une déesse de la fertilité.

FESTIVITÉS

Elles avaient lieu lors de la naissance d'un bébé aztèque et duraient des jours entiers, pendant lesquels les astrologues tentaient de déterminer le jour qui serait le plus favorable pour donner un nom à l'enfant.

Anse en forme d'étrier

Deux femmes aident une troisième à accoucher.

SCÈNE D'ACCOUCHEMENT

Lors de l'accouchement, les femmes andines étaient assistées par celles qui avaient donné naissance à des jumeaux, et par leurs voisines. Il n'existait pas de sages-femmes ! Après l'accouchement, la mère se lavait dans la rivière avec son enfant. On ne jetait pas le cordon ombilical : on le gardait à la maison.

LE RÔLE ÉDUCATIF

Les scènes familiales abondent dans l'art aztèque. Elles montrent des femmes accomplissant des tâches diverses. Celle-ci transporte un enfant sous chaque bras. L'un des principaux rôles de la femme aztèque était d'élever ses enfants jusqu'à ce qu'ils soient prêts à quitter le domicile parental et à se marier.

Vapeur obtenue en projetant de l'eau sur les murs de la maison de bains

Feu servant à chauffer le bain de vapeur

BAINS DE VAPEUR
Les Aztèques se baignaient quotidiennement, à la fois pour se laver et pour se purifier. Presque toutes les maisons disposaient d'un bain de vapeur adjacent. Il s'agit d'un petit bâtiment chauffé par un foyer : lorsqu'on jette de l'eau sur les murs brûlants, la pièce se remplit de vapeur.

FEMME PORTANT UNE CHARGE
Dans le nord des Andes, les devoirs de la femme dépendaient de son rang social. La femme moché que représente ce vase est sans doute de milieu populaire ; sa tâche était d'aider son mari si nécessaire et notamment de porter de lourdes charges sur son dos, à l'aide d'une sangle passée sur le front.

Sangle passant sur le front

QUI AIME BIEN CHÂTIE BIEN
A partir de 11 ans, les enfants aztèques étaient punis pour leur désobéissance : les châtiments allaient de la piqûre avec des épines à l'inhalation de fumée de piments que l'on brûle. C'est le cas de cet enfant que l'on tient au-dessus du feu.

JOUET D'ÉPOQUE
Avant d'atteindre l'âge d'aider leurs parents, les jeunes enfants jouaient autour de la maison ou à l'intérieur. Ce « jouet » en poterie, qui a la forme d'un chien à roulettes, indique que les anciens peuples de Méso-Amérique connaissaient la roue. Cependant, ils la réservaient à des fins décoratives, et non à des usages pratiques, comme la construction de véhicules pour transporter des charges. On a découvert des « jouets » à roulettes surtout dans des tombes de certaines zones du golfe du Mexique. On pense que les jouets en forme de chien étaient censés permettre aux défunts, hommes ou femmes, de trouver leur aire de repos lors de la vie qui suit leur existence terrestre.

Collier

Roues tournant sur leur axe et stoppées par un « boulon » (ici, en corde)

21

LA MAISON, ÉLOGE DE LA SOBRIÉTÉ

Epi de maïs utilisé comme bouchon

GOURDE D'EAU
Après dessiccation, la gourde, un fruit à écorce dure (calebasse), sert de récipient, principalement pour l'eau. Ce type de végétal pousse presque partout dans les Amériques.

Aztèques, Mayas et Incas vivaient dans des maisons comportant une seule pièce et très peu de mobilier. Les demeures des Incas étaient en pierre ou en briques de boue, celles des Aztèques et des Mayas surtout en adobe. Elles avaient pour tout mobilier des nattes de roseau en guise de lit, des tables basses, et des coffres en vannerie pour les vêtements. Elles avaient aussi une cour intérieure avec une cuisine et un petit autel pour prier. La salle de bains est un bâtiment distinct. Les maisons des nobles et des dignitaires ont plusieurs pièces, plus de mobilier et un jardin intérieur plus grand.

Dents pointues, en bois

OUTIL À MAIN
Les peignes, en os ou en bois, sont utilisés pour se coiffer, mais aussi, en Amérique du Sud, pour carder la laine. Quelques-uns servent à dessiner des motifs sur les poteries.

NATTE EN ROSEAUX
En Méso-Amérique, à l'époque précolombienne, on s'assoit, on joue et on dort sur des nattes de roseau. Ce genre de natte sert probablement de tapis de sol dans la plupart des maisons, riches ou pauvres. Il est plus mince que ceux utilisés pour dormir.

INTÉRIEUR AZTÈQUE
Une dame aztèque passait le plus clair de son temps à s'occuper de ses enfants, à faire la cuisine et à tisser.

POT MULTIUSAGE
Ce pot servait pour les liquides et les aliments solides. On le maintenait en position verticale à l'aide d'un anneau de roseau.

Coupe pourvue de trois pieds robustes

COUPE TRIPODE
Les potiers de Teotihuacan fabriquaient des coupes tripodes de ce genre, parfois dotées d'un couvercle. Les poteries de tous les jours sont le plus souvent sans décor, mais d'autres ont des motifs gravés, ou peints comme celle illustrée ci-contre.

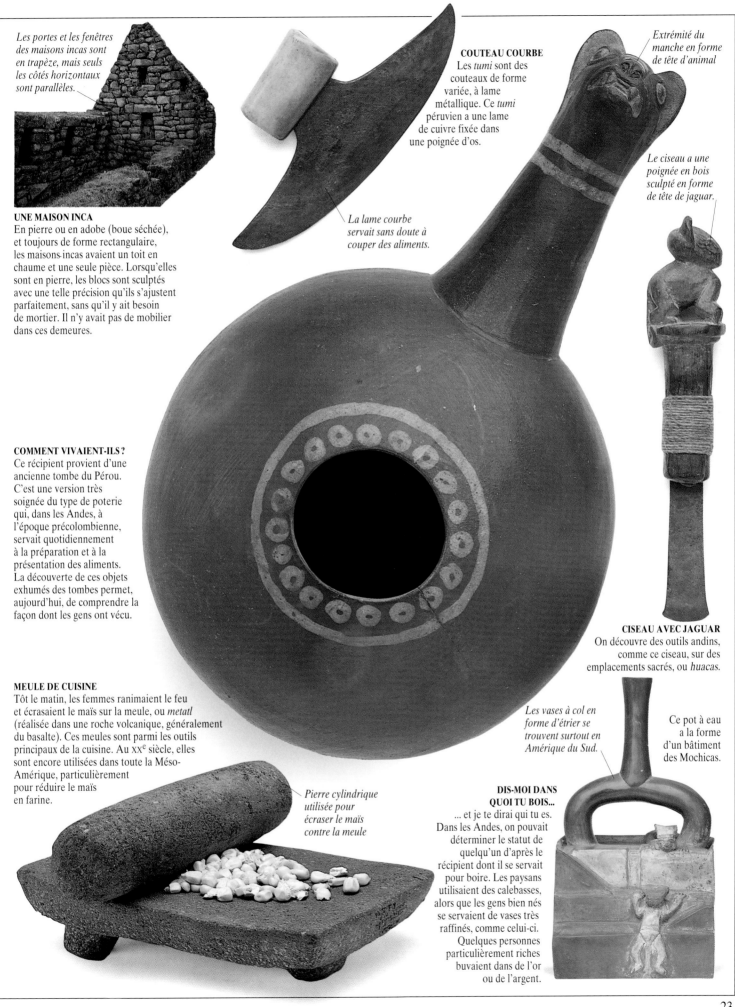

Les portes et les fenêtres des maisons incas sont en trapèze, mais seuls les côtés horizontaux sont parallèles.

UNE MAISON INCA
En pierre ou en adobe (boue séchée), et toujours de forme rectangulaire, les maisons incas avaient un toit en chaume et une seule pièce. Lorsqu'elles sont en pierre, les blocs sont sculptés avec une telle précision qu'ils s'ajustent parfaitement, sans qu'il y ait besoin de mortier. Il n'y avait pas de mobilier dans ces demeures.

COUTEAU COURBE
Les *tumi* sont des couteaux de forme variée, à lame métallique. Ce *tumi* péruvien a une lame de cuivre fixée dans une poignée d'os.

La lame courbe servait sans doute à couper des aliments.

Extrémité du manche en forme de tête d'animal

Le ciseau a une poignée en bois sculpté en forme de tête de jaguar.

COMMENT VIVAIENT-ILS ?
Ce récipient provient d'une ancienne tombe du Pérou. C'est une version très soignée du type de poterie qui, dans les Andes, à l'époque précolombienne, servait quotidiennement à la préparation et à la présentation des aliments. La découverte de ces objets exhumés des tombes permet, aujourd'hui, de comprendre la façon dont les gens ont vécu.

CISEAU AVEC JAGUAR
On découvre des outils andins, comme ce ciseau, sur des emplacements sacrés, ou *huacas*.

MEULE DE CUISINE
Tôt le matin, les femmes ranimaient le feu et écrasaient le maïs sur la meule, ou *metatl* (réalisée dans une roche volcanique, généralement du basalte). Ces meules sont parmi les outils principaux de la cuisine. Au XXe siècle, elles sont encore utilisées dans toute la Méso-Amérique, particulièrement pour réduire le maïs en farine.

Pierre cylindrique utilisée pour écraser le maïs contre la meule

Les vases à col en forme d'étrier se trouvent surtout en Amérique du Sud.

Ce pot à eau a la forme d'un bâtiment des Mochicas.

DIS-MOI DANS QUOI TU BOIS...
... et je te dirai qui tu es. Dans les Andes, on pouvait déterminer le statut de quelqu'un d'après le récipient dont il se servait pour boire. Les paysans utilisaient des calebasses, alors que les gens bien nés se servaient de vases très raffinés, comme celui-ci. Quelques personnes particulièrement riches buvaient dans de l'or ou de l'argent.

UNE CUISINE QUATRE ÉTOILES

À l'époque précolombienne, le maïs est l'aliment de base, associé à d'autres légumes comme le haricot et la courge, qui poussent dans les deux régions.

Mais la pomme de terre et le quinoa (une graine) viennent des Andes, tandis que l'avocat et la tomate, tout comme un grand nombre de fruits, sont consommés en Méso-Amérique. Du maïs, on tirait une sorte de bouillie nommée « atole » en Méso-Amérique et « capia » en pays inca. Dans les deux régions, on fait des galettes de maïs, mais c'est seulement en Méso-Amérique que l'on mange des « tortillas » (sortes de crêpes épaisses) à tous les repas. Incas et Aztèques ont tous deux un plat préféré, le « tamal », un chausson de maïs farci de légumes ou de viande et cuit à la vapeur, et font deux repas par jour. Mais, en Méso-Amérique, le repas principal est pris au moment le plus chaud de la journée.

La seule viande que les peuples andins mangeaient régulièrement était le cochon d'Inde.

Fèves de cacao

On faisait le chocolat en écrasant les fèves de cacao avec de l'eau.

LE CACAO
Les Indiens fortunés consommaient une boisson chocolatée adoucie avec du miel et parfumée à la vanille.

Gousse de cacaotier

Mortier de pierre, en forme de bol

Pilon en forme de massue

TOURTIÈRE AVEC SES « TORTILLAS »
Les *tortillas* sont encore, au XXᵉ siècle, un aliment majeur de la Méso-Amérique. Une fois mises en forme, on les cuit sur un disque en terre appelé *comal*.

Bien des ustensiles de cuisine présentés ici sont encore utilisés aujourd'hui.

LE MORTIER ET SON PILON
Les piments et les tomates étaient la base des sauces. On les écrasait dans un mortier avec un pilon, pierre sculptée en forme de cylindre et dotée de trois petits pieds.

FEMMES PRÉPARANT LE MAÏS
Chaque jour les Indiennes de Méso-Amérique devaient préparer le maïs. Ce détail d'une peinture de l'artiste mexicain Diego Rivera (1886-1957) représente une femme qui écrase les grains de maïs entre un rouleau et une meule en pierre pour en faire de la farine. Une autre femme la met en pâte, et l'aplatit en galettes, ou *tortillas*.

PRÉCIEUX LAMA
Les Incas et leurs ancêtres appréciaient la chair tendre du lama mais ils en consommaient modérément car ils réservaient l'animal à bien d'autres usages.

Comal

Lama entravé avec des cordes

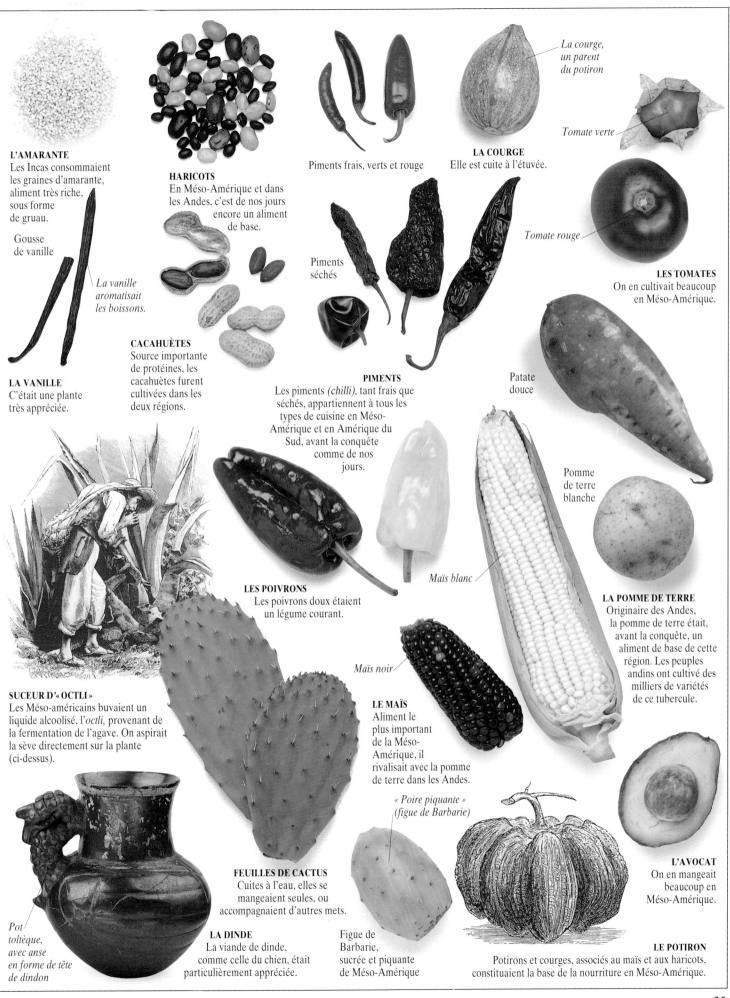

L'AMARANTE
Les Incas consommaient les graines d'amarante, aliment très riche, sous forme de gruau.

Gousse de vanille

La vanille aromatisait les boissons.

LA VANILLE
C'était une plante très appréciée.

HARICOTS
En Méso-Amérique et dans les Andes, c'est de nos jours encore un aliment de base.

CACAHUÈTES
Source importante de protéines, les cacahuètes furent cultivées dans les deux régions.

Piments frais, verts et rouge

Piments séchés

PIMENTS
Les piments *(chilli)*, tant frais que séchés, appartiennent à tous les types de cuisine en Méso-Amérique et en Amérique du Sud, avant la conquête comme de nos jours.

LES POIVRONS
Les poivrons doux étaient un légume courant.

La courge, un parent du potiron

Tomate verte

Tomate rouge

LES TOMATES
On en cultivait beaucoup en Méso-Amérique.

LA COURGE
Elle est cuite à l'étuvée.

Patate douce

Pomme de terre blanche

Maïs blanc

Maïs noir

LE MAÏS
Aliment le plus important de la Méso-Amérique, il rivalisait avec la pomme de terre dans les Andes.

« Poire piquante » (figue de Barbarie)

LA POMME DE TERRE
Originaire des Andes, la pomme de terre était, avant la conquête, un aliment de base de cette région. Les peuples andins ont cultivé des milliers de variétés de ce tubercule.

L'AVOCAT
On en mangeait beaucoup en Méso-Amérique.

SUCEUR D'« OCTLI »
Les Méso-américains buvaient un liquide alcoolisé, l'*octli*, provenant de la fermentation de l'agave. On aspirait la sève directement sur la plante (ci-dessus).

Pot toltèque, avec anse en forme de tête de dindon

FEUILLES DE CACTUS
Cuites à l'eau, elles se mangeaient seules, ou accompagnaient d'autres mets.

LA DINDE
La viande de dinde, comme celle du chien, était particulièrement appréciée.

Figue de Barbarie, sucrée et piquante de Méso-Amérique

LE POTIRON
Potirons et courges, associés au maïs et aux haricots, constituaient la base de la nourriture en Méso-Amérique.

RAPPORT D'IMPOSITION

Bol en terre cuite

Les biens exigés au titre de tribut versé aux gouvernants aztèques étaient répertoriés dans des livres tels que le *Codex Mendoza*.

Couverture en coton simple

Couverture en coton abondamment décorée

Sachet d'encens de copal

Pots de miel

Coffre contenant du maïs et des graines de *chia*

QUAND TOUT SE PAIE EN NATURE

En Méso-Amérique et dans les Andes, les gens du peuple versaient à l'État un impôt qui faisait d'eux son premier fournisseur. Les personnes de haut rang, les malades et les handicapés en étaient exonérés. Dans l'Empire inca, chaque province devait payer des tributs spécifiques au gouvernement. À Tenochtitlan, les résidents de chaque circonscription étaient rattachés à une institution, le « calpulli », dont les chefs veillaient à la rentrée des impôts. Dans les deux régions, on échangeait des biens de toutes sortes. En Méso-Amérique, tous les produits de la terre se vendaient sur de superbes marchés. Les marchands aztèques s'engageaient dans de lointaines expéditions pour commercialiser des plumes d'oiseaux des tropiques, des pierres précieuses et des peaux de jaguars.

MESSAGER
On distingue sur ce vase moché un messager. Ces coursiers, ou *chasquis*, couraient d'un endroit à un autre, généralement pour porter des messages. Les Incas disposaient d'un excellent système routier, essentiel pour le contrôle de l'Empire, le commerce et les communications.

Coiffe en tête de jaguar

Costume de guerrier en jaguar

Bouclier à plumes

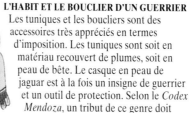

LA VENTE DU MAÏS
Les peintures murales de Diego Rivera nous informent sur la manière dont vivaient les Mexicains de jadis. Rivera, l'un des plus remarquables peintres de murs du Mexique du XXe siècle, était particulièrement au fait de la vie qui s'écoulait à Tenochtitlan avant la conquête. Ce détail d'un marché animé représente des femmes vendant différentes sortes de maïs.

L'HABIT ET LE BOUCLIER D'UN GUERRIER
Les tuniques et les boucliers sont des accessoires très appréciés en termes d'imposition. Les tuniques sont soit en matériau recouvert de plumes, soit en peau de bête. Le casque en peau de jaguar est à la fois un insigne de guerrier et un outil de protection. Selon le *Codex Mendoza*, un tribut de ce genre doit être versé une fois par an.

LE COMMERCE DES FOURRURES
Les peaux de bêtes se vendaient sur le marché de Tlatelolco. La peau du puma était particulièrement appréciée des Mayas, car sa teinte fauve clair rappelle celle du soleil, tout comme celle du jaguar, dont les taches noires symbolisent le ciel nocturne. Les peaux de jaguars servaient à faire des sièges pour les dirigeants, à couvrir des livres, et se portaient aussi sous forme de manteaux.

LE MARCHÉ DE TLATELOLCO
Quand les Espagnols débarquent au Mexique, ils découvrent que le marché de Tlatelolco (cité jumelle de Tenochtitlan) est plus grand et mieux approvisionné qu'aucun marché espagnol. Des contrôleurs régulent les prix, et des juges sont présents en cas de litige ou de vol. Les achats et les ventes se pratiquent beaucoup par voie de troc (ce que les industriels actuels ont rebaptisé « échange marchandises »). Cependant les haches en cuivre servaient parfois de monnaie en Méso-Amérique et dans les Andes.

Peau d'ocelot

Peau de puma

Peau de jaguar

Un trésorier inca dresse l'inventaire des marchandises sur un *quipu*.

Graines de melon

Fèves de cacao

Plume dc quetzal

Lames
de haches

Perles en jade

Plume
d'oiseau
des tropiques

LE NÉGOCE
Certaines marchandises étaient très demandées, car on en exigeait beaucoup sous forme d'impôts. Les négociants de Tenochtitlan et des grandes villes avoisinantes exportaient et vendaient des objets de luxe fabriqués à partir de matières premières importées ou obtenues en paiement du tribut. En échange, ils obtenaient des marchandises telles que des plumes d'oiseaux des tropiques (surtout celles de quetzal), des fèves de cacao, des peaux d'animaux et de l'or.

DES INCAS TRÈS PRÉVOYANTS
Les Incas conservaient toutes sortes de marchandises dans des entrepôts destinés aux officiels du gouvernement, mais aussi à ceux qu'une maladie, une crise économique ou un siège avaient laissés démunis. On y mettait des armes, des vêtements, de la laine, des pommes de terre et du maïs.

Stockage des denrées agricoles dans les greniers du gouvernement

*Récipient usuel en
poterie, à décor
commun*

Tous les étals de poterie sont rassemblés sur le marché.

Coupe en poterie commune

Le marché est l'endroit où s'échangent les marchandises et d'où se propagent les nouvelles.

LA GUERRE SACRÉE, VOIE ROYALE

Avant la conquête, la guerre fait partie de la vie de la Méso-Amérique et de la région inca de l'Amérique latine. Dans la Méso-Amérique, les garçons rejoignent l'armée à 17 ans pour une période d'entraînement intensif. Ces peuples sont donc experts en arts militaires. Chez les Aztèques, le moyen le plus efficace pour gravir l'échelle sociale est de montrer du courage dans la bataille. L'un des enjeux essentiels de la guerre est la capture d'ennemis destinés au sacrifice. Les Aztèques sont constamment en « guerre sacrée » : ils croient que les sacrifices humains maintiennent le Soleil en mouvement. Incas et Aztèques annexent des territoires nouveaux. Vers le sud, les Mapuches, Indiens du Chili, résisteront aux Incas, puis pendant trois siècles aux Espagnols, grâce à une société très décentralisée.

Des frondes comme celle-ci, originaire de Chancay dans l'actuel Pérou, en laine et coton tressés, servaient à la guerre. Les projectiles sont en pierre.

GUERRIER TOLTÈQUE
Cette sculpture représente un guerrier toltèque richement vêtu : coiffure de plumes, boucles d'oreilles, cuirasse en forme de papillon. Il tient dans une main un *atlatl* (propulseur de lances) et dans l'autre un faisceau de flèches.

UN CAPTIF
Les guerriers aztèques qui faisaient un prisonnier recevaient des récompenses telles que des costumes et des manteaux en peau de jaguar. Plus ils faisaient de prisonniers, plus leur habillement était luxueux.

Poignard en silex, à tranchant aiguisé en dents de scie

LES ARMES DES AZTÈQUES
Le guerrier portait généralement des lances de bois, avec une pointe armée de chert (sorte de silex) ou d'obsidienne, et un *macuauhuitl* ou bâton de guerre dans le bois duquel sont enchâssées des lames d'obsidienne. Il disposait aussi de poignards-javelots et d'un bouclier rond à franges en cuir. Les couteaux de silex et d'obsidienne tels que ceux figurés à gauche servaient aussi aux sacrifices humains. Cette panoplie quasi néolithique sera de peu d'efficacité contre les canons des Espagnols, de surcroît entièrement cuirassés de fer.

Massue

CASSE-TÊTE TRANCHANT
L'une des principales armes aztèques était le *macuauhuitl*, un bâton de bois incrusté d'une double rangée de lames d'obsidienne. Ce verre volcanique est assez tranchant pour couper en deux la tête d'un cheval.

Grand couteau en obsidienne, coupant comme un rasoir

VASE ANTHROPOMORPHE
On doit à la culture moché du nord du Pérou des vases en forme de guerrier, comme celui-ci, qui porte une massue. Le bouclier réel serait sans doute fixé au poignet par des lanières.

LANCE À EMBOUT D'OBSIDIENNE
Un guerrier portait en général une ou deux lances en bois incrusté d'éclats en pierre dure, pouvant provoquer de profondes blessures.

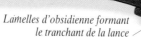

Lamelles d'obsidienne formant le tranchant de la lance

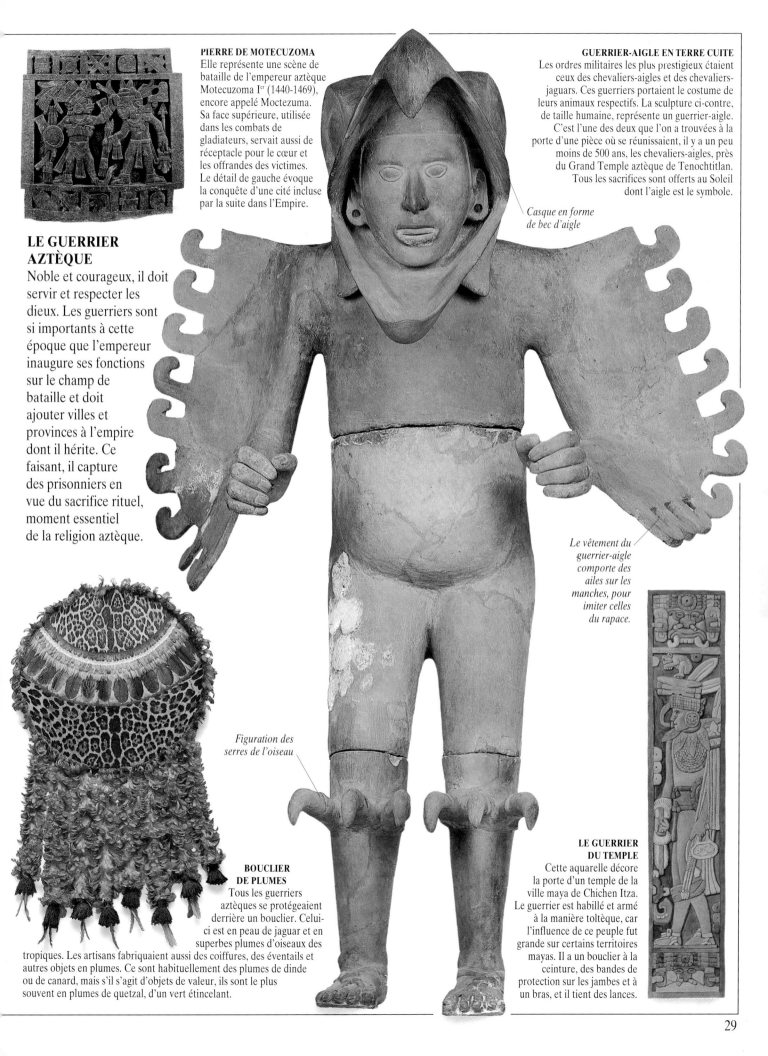

PIERRE DE MOTECUZOMA
Elle représente une scène de bataille de l'empereur aztèque Motecuzoma Ier (1440-1469), encore appelé Moctezuma. Sa face supérieure, utilisée dans les combats de gladiateurs, servait aussi de réceptacle pour le cœur et les offrandes des victimes. Le détail de gauche évoque la conquête d'une cité incluse par la suite dans l'Empire.

GUERRIER-AIGLE EN TERRE CUITE
Les ordres militaires les plus prestigieux étaient ceux des chevaliers-aigles et des chevaliers-jaguars. Ces guerriers portaient le costume de leurs animaux respectifs. La sculpture ci-contre, de taille humaine, représente un guerrier-aigle. C'est l'une des deux que l'on a trouvées à la porte d'une pièce où se réunissaient, il y a un peu moins de 500 ans, les chevaliers-aigles, près du Grand Temple aztèque de Tenochtitlan. Tous les sacrifices sont offerts au Soleil dont l'aigle est le symbole.

Casque en forme de bec d'aigle

LE GUERRIER AZTÈQUE

Noble et courageux, il doit servir et respecter les dieux. Les guerriers sont si importants à cette époque que l'empereur inaugure ses fonctions sur le champ de bataille et doit ajouter villes et provinces à l'empire dont il hérite. Ce faisant, il capture des prisonniers en vue du sacrifice rituel, moment essentiel de la religion aztèque.

Le vêtement du guerrier-aigle comporte des ailes sur les manches, pour imiter celles du rapace.

Figuration des serres de l'oiseau

BOUCLIER DE PLUMES
Tous les guerriers aztèques se protégeaient derrière un bouclier. Celui-ci est en peau de jaguar et en superbes plumes d'oiseaux des tropiques. Les artisans fabriquaient aussi des coiffures, des éventails et autres objets en plumes. Ce sont habituellement des plumes de dinde ou de canard, mais s'il s'agit d'objets de valeur, ils sont le plus souvent en plumes de quetzal, d'un vert étincelant.

LE GUERRIER DU TEMPLE
Cette aquarelle décore la porte d'un temple de la ville maya de Chichen Itza. Le guerrier est habillé et armé à la manière toltèque, car l'influence de ce peuple fut grande sur certains territoires mayas. Il a un bouclier à la ceinture, des bandes de protection sur les jambes et à un bras, et il tient des lances.

29

Dessin d'un temple aztèque de Tenochtitlan, dans un codex

L'ÈRE DU CINQUIÈME SOLEIL

La religion marquait de son empreinte quasiment tous les aspects de la vie des Aztèques et des Incas. Les temples avaient un rôle décisif dans l'accomplissement des rites en l'honneur des dieux. Dans le nord des Andes, chacun honorait une variété d'autels et d'objets ainsi que les forces naturelles, les « huacas », qu'ils matérialisent. Dans la religion officielle de l'État inca, le Soleil est le dieu le plus important : c'est une force dominante, un symbole de prestige et de pouvoir. Les Incas adoraient le Soleil, attendant de lui qu'il favorise des récoltes abondantes et régulières. Comme les Incas, les Aztèques avaient des emplacements sacrés, et leur religion était aussi centrée autour du Soleil : ils pensaient que nous vivons l'ère du cinquième soleil et qu'un jour le monde connaîtra une fin brutale. Pour différer cet anéantissement, ils pratiquaient des sacrifices humains car ils considéraient que nourrir les dieux de sang humain devait maintenir le Soleil en vie.

LE TEMPLE DU JAGUAR GÉANT
Pour adorer leurs dieux, les Mayas construisaient de magnifiques centres cérémoniels, entourés de cours et de grandes places. Le majestueux temple de Tikal est situé au milieu d'un centre cérémoniel. Sa pyramide géante comporte neuf terrasses. La crête faîtière ornementale située à son sommet s'élève à une hauteur de 161 m.

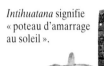

Intihuatana signifie « poteau d'amarrage au soleil ».

LA PIERRE D'« INTIHUATANA »
Dans tout l'Empire inca, le gouvernement fit construire la plupart des temples dédiés au culte solaire. Cette pierre, à Machu Picchu, constitue un cadran solaire qui permet de calculer le solstice d'hiver (21 juin) pour la grande fête du dieu Soleil.

Prêtres accomplissant des rituels au temple, lors de la cérémonie du « nouveau feu »

Après le sacrifice, on jetait le corps des victimes dans l'escalier.

LA CÉRÉMONIE DU « NOUVEAU FEU » AZTÈQUE
Elle avait lieu dans les temples tous les 52 ans : quand le jour se lève, la population éteint tous les feux, jette les idoles et les ustensiles domestiques. Le nouveau siècle commence lorsque le jour point à nouveau.

MAQUETTE DU GRAND TEMPLE DE TENOCHTITLAN
Au centre de Tenochtitlan se trouve une enceinte murée. A l'intérieur, les deux autels sont portés par la même pyramide. Le premier était dédié à Tlaloc, dieu de la pluie, et le second à Huitzilopochtli, dieu de la guerre et dieu de la tribu aztèque. Le Grand Temple était le centre géographique et symbolique du monde aztèque ; c'est là qu'avaient lieu les sacrifices humains et les offrandes. Chaque empereur cherchait à construire un temple plus impressionnant que son prédécesseur. La maquette indique bien que chaque nouveau temple coiffe les précédents. Le plus ancien, un temple intérieur, possède un *chacmool* (une statue tenant un récipient destiné à recevoir le cœur et le sang des sacrifiés) sur la gauche et une pierre sacrificielle sur la droite. Les archéologues ont mis au jour plus de 6 000 objets ensevelis comme offrandes à Tlaloc et à Huitzilopochtli.

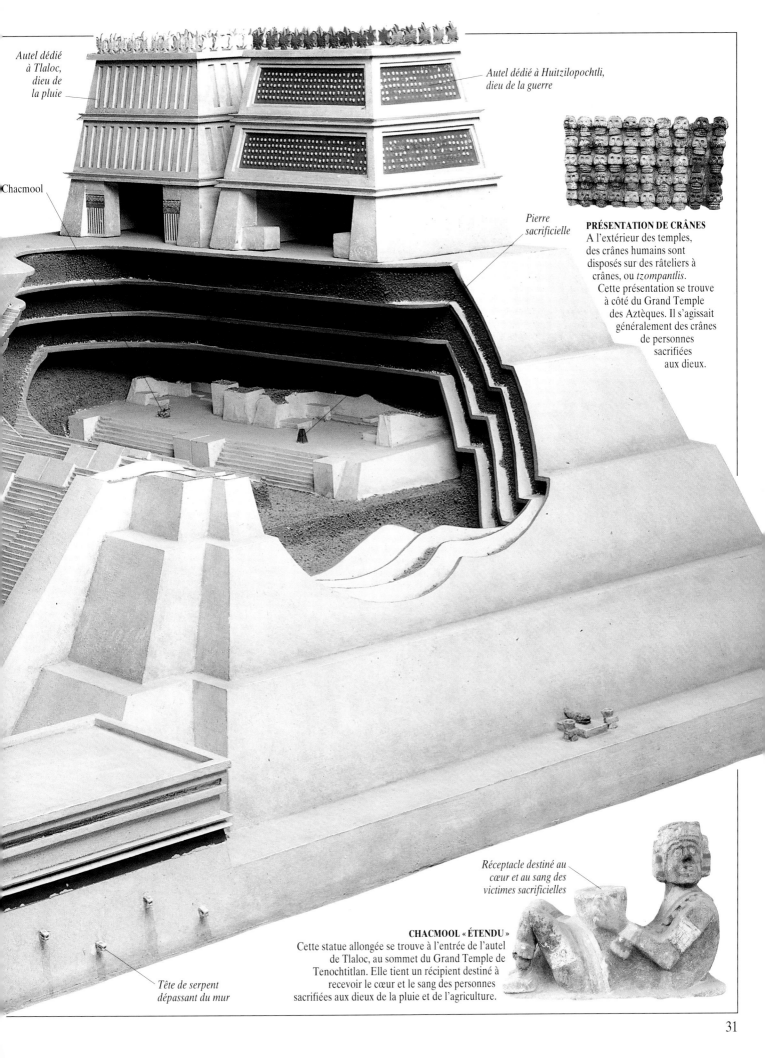

Autel dédié
à Tlaloc,
dieu de
la pluie

Autel dédié à Huitzilopochtli,
dieu de la guerre

Chacmool

Pierre
sacrificielle

PRÉSENTATION DE CRÂNES
A l'extérieur des temples,
des crânes humains sont
disposés sur des râteliers à
crânes, ou *tzompantlis*.
Cette présentation se trouve
à côté du Grand Temple
des Aztèques. Il s'agissait
généralement des crânes
de personnes
sacrifiées
aux dieux.

Réceptacle destiné au
cœur et au sang des
victimes sacrificielles

CHACMOOL « ÉTENDU »
Cette statue allongée se trouve à l'entrée de l'autel
de Tlaloc, au sommet du Grand Temple de
Tenochtitlan. Elle tient un récipient destiné à
recevoir le cœur et le sang des personnes
sacrifiées aux dieux de la pluie et de l'agriculture.

Tête de serpent
dépassant du mur

31

LES DIEUX, CRÉATEURS DU MONDE

La religion des peuples de la Méso-Amérique et celle

des Incas étaient toutes deux fondées sur la vénération de divinités à caractère essentiellement agricole. Mais les noms et symboles de ces divinités étaient propres à chaque religion. On demandait aux dieux bonne santé, récolte abondante et prospérité. Le principal dieu inca était le dieu créateur Viracocha, aidé des dieux du Soleil, de la Lune, des étoiles et du tonnerre, ainsi que de ceux de la terre et de la mer. L'agriculture ayant une importance vitale dans les deux régions, la « terre mère », ou déesse de la terre, est la plus sollicitée. Les Aztèques ont adopté de nombreux dieux appartenant à d'autres civilisations. Comme chez les Incas, chacun d'eux est associé à certains aspects de la nature, ou des forces naturelles.

Dieu aztèque tiré du Codex Florentino

Dieu du printemps portant la peau d'une victime sacrificielle

Xipe Totec, dieu du printemps et de la végétation

LE DIEU DE LA PLUIE
De nombreux vases et des sculptures de la Méso-Amérique évoquent Tlaloc, dieu de la pluie et de la fécondité agricole. Ce pot à eau figure probablement le visage du dieu de la pluie car il contient le liquide vital, nécessaire à la « fécondation » de la terre.

Tlaloc a les yeux en « billes de loto ».

LE DIEU DU PRINTEMPS
Le dieu aztèque du printemps et de la végétation se nommait Xipe Totec, c'est-à-dire « notre seigneur écorché ». C'est aussi le patron des artisans du métal. Les victimes sacrifiées en son honneur étaient en effet écorchées vives par les prêtres qui revêtaient ensuite leur peau. Cet acte symbolisait le renouveau annuel de la végétation au printemps, c'est-à-dire celui de la « peau de la terre ».

Quetzalcoatl, serpent à plumes

Tlaloc, dieu de la pluie

Reconstitution du temple de Quetzalcoatl à Teotihuacan

LE DIEU DE LA NATURE
Quetzalcoatl, ce qui signifie « serpent à plumes », est le dieu de la nature : de l'air et de la terre. Le temple de Quetzalcoatl, à Teotihuacan, est décoré de grandes sculptures (ou bas-reliefs) de serpents à plumes, comme le montre cette reconstitution.

Chicomecoatl porte une coiffure en papier à quatre faces, avec des rosettes à chaque coin.

UNE DÉESSE AZTÈQUE DU MAÏS
Trois déesses étaient associées au maïs. Voici la statue de Chicomecoatl, la déesse du maïs mûr. C'est la meilleure graine de maïs qui est extraite de la moisson en vue des semailles. Les deux autres déesses sont celle du maïs tendre et celle qui personnifie le plant du maïs lui-même.

Maïs à épi double

LE DIEU DE LA GUERRE
Huitzilopochtli (l'oiseau-mouche ci-dessus) était le dieu tribal des Aztèques. Ce dessin le représente armé de son serpent de feu et de son bouclier.

LE DIEU DES MORTS
Mictlantecuhtli était le dieu des morts dans le Mexique des Aztèques : ceux qui disparaissaient de mort naturelle se rendent dans le Mictlan, région froide et infernale où se trouvaient les personnes écorchées.

Le peuple inca adorait la Lune et le Soleil.

LA FÊTE DE SEPTEMBRE
Chaque mois de l'année, les Incas organisaient différentes fêtes religieuses. La célébration de septembre était dédiée aux divinités féminines et placée sous la protection de la Lune et des dieux du Soleil.

L'ADORATION DU SOLEIL
Les Incas adoraient le Soleil qu'ils nommaient Inti. La plupart des religions agricoles adoraient à la fois le Soleil et la pluie indispensables à de bonnes récoltes. Le Soleil est le dieu le plus important de la dynastie royale inca. Les empereurs incas croyaient qu'ils étaient les descendants d'Inti.

Disque en or

Chac tient un bol dans une main et une balle d'encens fumant dans l'autre.

LE DIEU DU CIEL OU DE LA LUNE
Ce manche de couteau cérémoniel péruvien est orné de l'image du dieu du ciel ou de la Lune. Il a les bras grands ouverts, tient un disque dans chaque main et porte une belle coiffure en filigrane avec des incrustations de turquoises.

Avec la turquoise, on faisait les incrustations des yeux des statuettes, des colliers, des boucles d'oreilles et on décorait les vêtements.

LE DIEU MAYA DE LA PLUIE
Le dieu maya de la pluie se nommait Chac. L'un des sacrifices en son honneur consistait à noyer des enfants dans l'eau des sources. Dans certaines régions mayas, le dieu de la pluie était si important que les façades de certains bâtiments étaient couvertes de masques de Chac.

BIBLIOTHÈQUE PUBLIQUE DU CANTON

33

« Poupée » chancay trouvée dans une tombe

COMPAGNON DANS L'AUTRE MONDE
De telles figurines proviennent des tombes de Chancay. On dit que ce sont des « poupées » car on pense qu'elles ont été utilisées durant la vie terrestre avant d'être déposées auprès des défunts.

L'AU-DELÀ DE TOUS LES DANGERS

Les peuples natifs d'Amérique latine étaient et sont convaincus qu'après la mort l'homme continue à exister. Aussi les gens étaient-ils ensevelis avec tous les biens nécessaires. En étudiant les objets funéraires, les codex et les manuscrits du début de la colonisation, les archéologues reconstituent quelques-unes des croyances des anciens Indiens concernant la mort et la vie après la mort. Selon les Aztèques, c'est la manière dont un individu meurt qui, plus que la façon dont il a vécu, détermine sa destinée après la mort. Si quelqu'un meurt d'une cause naturelle, son âme traverse les neuf niveaux de l'inframonde avant d'atteindre Mictlan, le royaume du dieu de la mort. Mais les guerriers tués au combat et les femmes mortes en couches rejoignent directement le dieu du Soleil.

LA MOMIE D'UN ROI DÉFUNT
Dans les sociétés du nord des Andes, on se comportait envers les momies comme s'il s'agissait d'êtres vivants. Souvent, les vivants consultaient leurs morts sur des questions importantes et portaient les momies des empereurs dans les rues lors de certaines fêtes.

COMPLÈTEMENT EMMITOUFLÉE
On a découvert beaucoup de ces momies dans le nord des Andes. Le corps est en position fléchie et ficelé avec une corde qui le maintient replié sur lui-même. On l'enveloppe ensuite de linges pour le placer « assis », puis on dispose des objets tout autour dans la tombe.

Urne funéraire maya (vue de profil, en coupe)

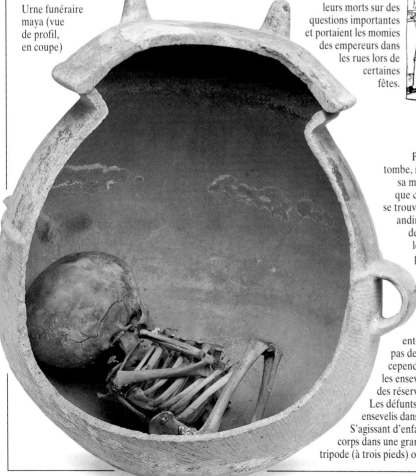

DEUX POIDS, DEUX MESURES
Plus on plaçait de biens dans une tombe, mieux l'individu se portait après sa mort. Des statuettes de bois telles que celle-ci, représentant un homme, se trouvent dans de nombreuses tombes andines. Mais les tombes renfermant des objets d'or, ou dans lesquelles le corps a été très soigneusement préparé, indiquent bien que tout le monde n'était pas traité de la même manière.

TOMBE MAYA
Habituellement, les Mayas enterraient leurs morts sous les pas de porte ou dans le sol. Parfois, cependant, ils brûlaient les restes ou les ensevelissaient dans des grottes, dans des réservoirs souterrains ou des urnes. Les défunts des castes privilégiées étaient ensevelis dans des tombes très perfectionnées. S'agissant d'enfant, il était courant de placer le corps dans une grande urne, recouverte d'un vase tripode (à trois pieds) ou d'un fragment de pot.

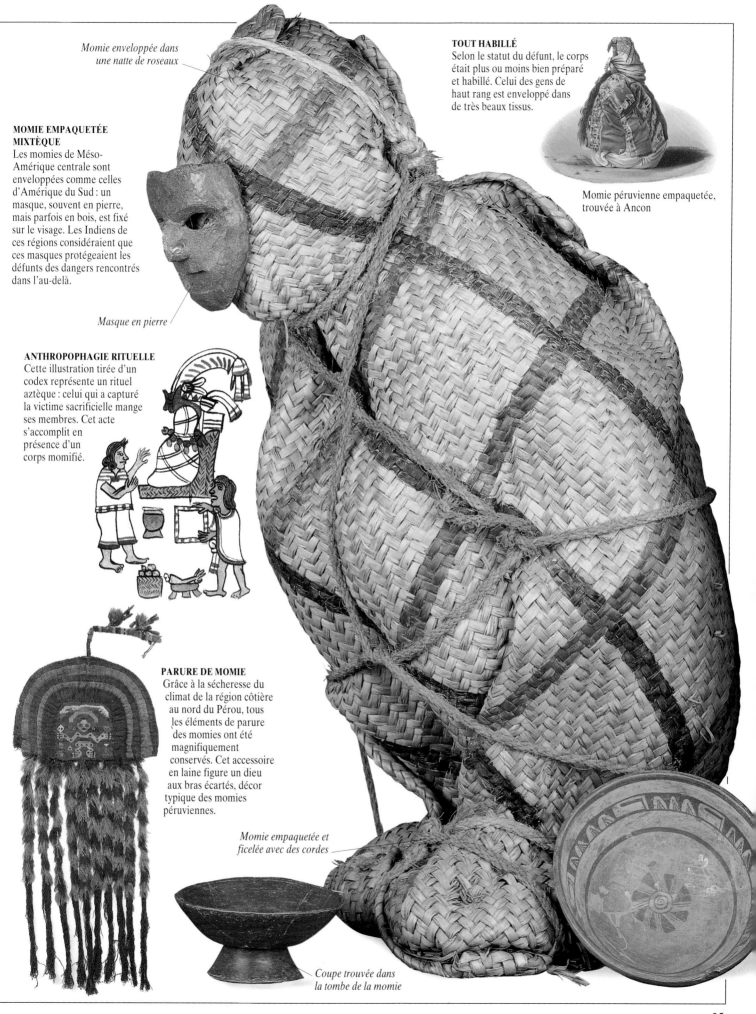

*Momie enveloppée dans
une natte de roseaux*

TOUT HABILLÉ
Selon le statut du défunt, le corps
était plus ou moins bien préparé
et habillé. Celui des gens de
haut rang est enveloppé dans
de très beaux tissus.

Momie péruvienne empaquetée,
trouvée à Ancon

**MOMIE EMPAQUETÉE
MIXTÈQUE**
Les momies de Méso-
Amérique centrale sont
enveloppées comme celles
d'Amérique du Sud : un
masque, souvent en pierre,
mais parfois en bois, est fixé
sur le visage. Les Indiens de
ces régions considéraient que
ces masques protégeaient les
défunts des dangers rencontrés
dans l'au-delà.

Masque en pierre

ANTHROPOPHAGIE RITUELLE
Cette illustration tirée d'un
codex représente un rituel
aztèque : celui qui a capturé
la victime sacrificielle mange
ses membres. Cet acte
s'accomplit en
présence d'un
corps momifié.

PARURE DE MOMIE
Grâce à la sécheresse du
climat de la région côtière
au nord du Pérou, tous
les éléments de parure
des momies ont été
magnifiquement
conservés. Cet accessoire
en laine figure un dieu
aux bras écartés, décor
typique des momies
péruviennes.

*Momie empaquetée et
ficelée avec des cordes*

*Coupe trouvée dans
la tombe de la momie*

LE SANG, PRIX DE LA CONTINUATION DE LA VIE

Avant la conquête, les sacrifices sont un rituel en Méso-Amérique et dans la région inca de l'Amérique latine. Les autres Indiens n'effectuent pas d'actes comparables. Même les conquistadores, qui dénombrèrent 136 000 victimes à Teotihuacan, considèrent ces sacrifices comme des actes de barbarie, auxquels ils répondront d'ailleurs par un bain de sang pire encore. Incas et Aztèques tuent leurs victimes lors de cérémonies spéciales, dans des temples ou au sommet de montagnes, et les Mayas en noient parfois dans des puits. Tout au long de l'année, des prêtres y recourent. Les Incas ne sacrifient des gens que lors de crises sérieuses ou d'événements particuliers, par exemple en étranglant des femmes. Chez les Aztèques, la mise à mort est autrement plus répandue et plus fréquente : on tue des hommes, des femmes, des enfants, et parfois des animaux, en leur arrachant le cœur, le plus souvent pour honorer le Soleil, la pluie, les dieux de la terre. Le but est une communion avec les divinités, que l'on nourrit pour maintenir l'ordre cosmique.

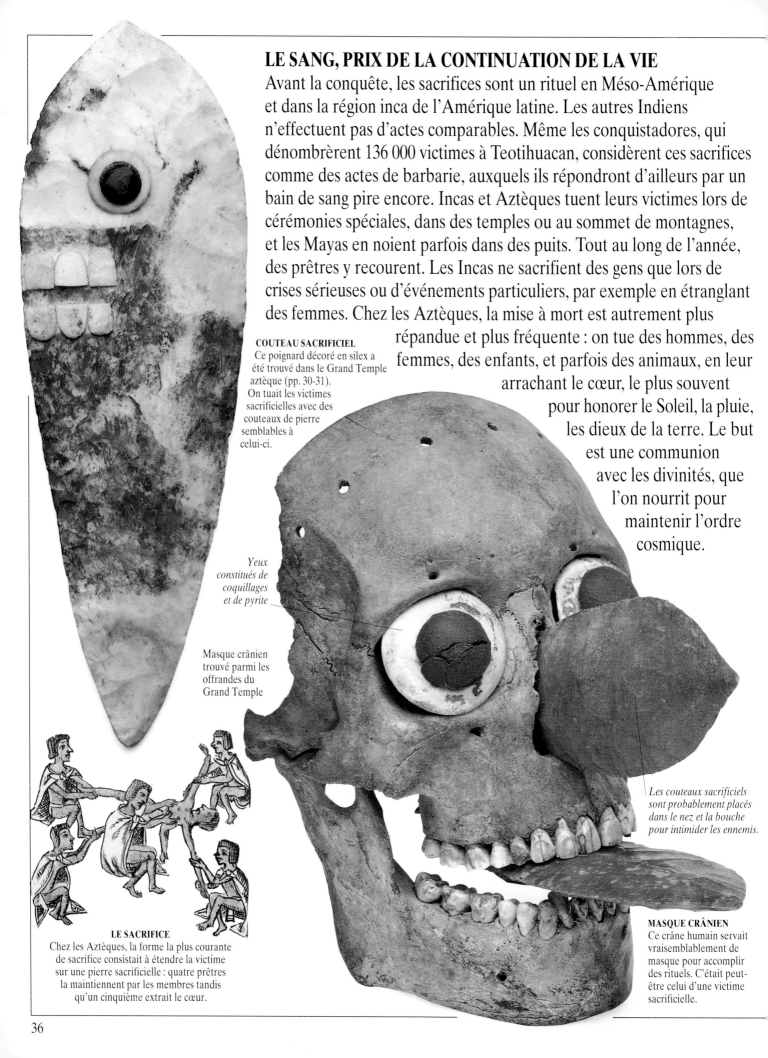

COUTEAU SACRIFICIEL
Ce poignard décoré en silex a été trouvé dans le Grand Temple aztèque (pp. 30-31). On tuait les victimes sacrificielles avec des couteaux de pierre semblables à celui-ci.

Yeux constitués de coquillages et de pyrite

Masque crânien trouvé parmi les offrandes du Grand Temple

Les couteaux sacrificiels sont probablement placés dans le nez et la bouche pour intimider les ennemis.

LE SACRIFICE
Chez les Aztèques, la forme la plus courante de sacrifice consistait à étendre la victime sur une pierre sacrificielle : quatre prêtres la maintiennent par les membres tandis qu'un cinquième extrait le cœur.

MASQUE CRÂNIEN
Ce crâne humain servait vraisemblablement de masque pour accomplir des rituels. C'était peut-être celui d'une victime sacrificielle.

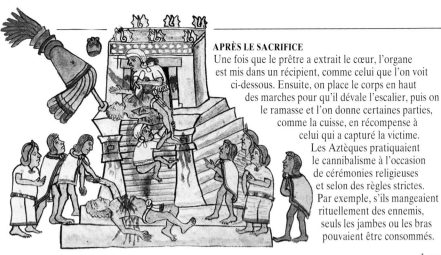

APRÈS LE SACRIFICE
Une fois que le prêtre a extrait le cœur, l'organe est mis dans un récipient, comme celui que l'on voit ci-dessous. Ensuite, on place le corps en haut des marches pour qu'il dévale l'escalier, puis on le ramasse et l'on donne certaines parties, comme la cuisse, en récompense à celui qui a capturé la victime. Les Aztèques pratiquaient le cannibalisme à l'occasion de cérémonies religieuses et selon des règles strictes. Par exemple, s'ils mangeaient rituellement des ennemis, seuls les jambes ou les bras pouvaient être consommés.

Illustration tirée du *Codex Magliabecchiano*

Le symbole du crâne apparaît souvent dans l'art aztèque.

UN CŒUR PRÉCIEUX
Ce superbe cœur sculpté dans la pierre verte représente l'organe le plus précieux que les Aztèques pouvaient offrir à leurs dieux. De même, le jade est considéré comme la pierre la plus belle, et le matériau le plus précieux, bien plus que l'or : il symbolise la vie et l'agriculture.

PIERRES ET VASES SACRIFICIELS
Le vase rituel à droite était peut-être destiné à recevoir le sang ou le cœur des victimes sacrificielles. Il est orné de crânes, symbole de la célébrité, de la gloire... ou de la défaite, selon les situations ! La pierre ci-dessous est le genre d'accessoire utilisé pour accomplir les sacrifices : la victime y est étendue, tandis qu'on lui arrache le cœur.

SACRIFICE AU SOMMET
Ce pot à eau mochica décoré représente des hommes assis au sommet de pics montagneux, le faîte des montagnes étant considéré comme un endroit sacré. C'est là que les Mochicas adoraient les dieux de la terre, qui donnent l'eau et permettent l'agriculture, et qu'ils leur offraient des sacrifices humains : ceux-ci sont conçus comme des présents offerts aux dieux à qui l'on demande en échange une faveur, par exemple une bonne récolte. Ceux qui sont sacrifiés ainsi sont dits bienheureux car la mort leur assure une vie de plaisir dans le monde à venir.

Les hautes montagnes et les volcans étaient des lieux importants pour les rites sacrés.

ÉCORCHÉ VIF
Ce dessin du XIXᵉ siècle montre le sacrifice humain du dépeçage sur un homme vivant. Les anciens Péruviens l'accomplissaient rituellement. L'écorchage était aussi pratiqué par les anciens Mexicains pendant les festivités agricoles. Tout comme ces derniers, les anciens Péruviens dédient de nombreuses victimes sacrificielles au dieu du Soleil Inti et au dieu de la Création Viracocha.

MÉDECINE ET MAGIE

Dans les civilisations précolombiennes de Méso-Amérique et des Andes, le traitement de la maladie associe magie et connaissance du corps. Les sages-femmes, les soignants et les médecins sont souvent des femmes qui connaissent les plantes médicinales. Pour les Andins, la maladie a une cause surnaturelle qu'ils combattent avec des herbes ; les Aztèques utilisent des minéraux, ainsi que la chair de certains animaux. Les Incas traitent la fièvre avec de l'urine et se saignent souvent eux-mêmes ; leurs chirurgiens percent des trous dans le crâne (trépanation) et amputent des membres à l'aide de couteaux et bistouris d'obsidienne.

Personnage au repos, dans son bain de vapeur

Le bain de vapeur fait partie des thérapies utilisées en Méso-Amérique.

Contre les maux d'estomac

Plante laxative, efficace aussi contre la toux et la fièvre

Pour le traitement des rhumatismes

DES PRESCRIPTIONS SPÉCIFIQUES
Beaucoup de plantes étaient utilisées comme remèdes. Cette racine (à gauche) était censée soigner les rhumatismes et les morsures d'animaux venimeux. D'autres racines soulageaient les souffrances rénales, et les fèves (ci-dessous) réduisaient les troubles circulatoires. La quinine, extraite de l'écorce d'un arbre péruvien, était un traitement à la fois préventif et curatif, en dépit de son goût amer, contre la malaria.

Pour la circulation

Quinine, contre la malaria

UNE JAMBE BIEN BANDÉE
Les médecins avaient une bonne connaissance du corps humain et un diagnostic assez sûr. Ce chirurgien aztèque bande une jambe blessée.

HOMME ATTEINT DE TUBERCULOSE
Les artistes, tant aztèques qu'andins, représentaient des maladies et des déformations. Cette sculpture figure un homme atteint de tuberculose, l'une des maladies les plus graves de l'ancien Mexique. La tuberculose affectait de nombreux jeunes gens. Le réalisme de cette représentation permet de voir la déformation du dos occasionnée par la maladie.

COUVERT DE BOUTONS
Les conquistadores espagnols ont introduit quantité de maladies en Amérique latine. Cependant, avant leur arrivée, les peuples andins souffraient déjà de maladies graves, comme l'*uta* (une sorte de lèpre) et la syphilis. Le personnage représenté sur ce vase chancay est peut-être atteint de l'une ou l'autre de ces maladies.

LA PHARMACOPÉE AU MARCHÉ

En Méso-Amérique, on cultivait des plantes médicinales dans des jardins botaniques pour les vendre sur les marchés. Ce sont des racines, des graines, des feuilles de maguey, de la résine de copal et toutes sortes de plantes pour soigner des pathologies allant de la morsure de serpent à la goutte en passant par la simple fièvre. Les anciens Mexicains pensaient que la fumée de copal avait une fonction curative. Les peuples andins inhalaient la poudre de tabac contre les maux de tête, mais ceux de Méso-Amérique fumaient aussi par plaisir. Pour supprimer le mauvais goût de certaines graines ou racines, on les associait à de la vanille, du cacao ou du maïs. Mais ces aromates étaient aussi considérés comme thérapeutiques en eux-mêmes.

Le peyotl

LES CIMES DE CACTUS

Les anciens Mexicains consommaient certaines plantes ou graines, comme les graines d'*olioliuhqui* (la « gloire du matin »), pour leurs vertus médicinales. Ces graines, comme les cimes de cactus, ou *peyotl* (ci-dessus), qui poussent dans le nord du Mexique, sont aussi des drogues qui provoquent des hallucinations colorées. Les drogues hallucinogènes étaient destinées à communiquer avec l'autre monde.

La peau et la chair de serpent sont utilisées pour traiter de nombreuses maladies.

Noix et graines

Feuilles et racines

DES NOMBRES ET DES IDÉES POUR LE FUTUR

Les peuples méso-américains et les anciens Péruviens conservaient des traces historiques et administratives : règnes, dates, victoires militaires, etc. Cependant, ils ne le faisaient pas tous de la même manière. Les Incas enregistraient leurs informations sur le « quipu », un assemblage de cordes à nœuds, mais ne conservaient aucune autre trace écrite. En revanche, les cultures méso-américaines avaient des pictogrammes (ou glyphes) – représentation d'un objet par un dessin – utilisés aussi comme des idéogrammes : ainsi, un bouclier et une massue signifiaient la guerre. Cette écriture se retrouve dans des livres, ou codex, peinte sur des murs, des vases, ou encore gravée sur des monuments en pierre aussi bien que sur de toutes petites pièces de jade. Les peuples méso-américains étaient obsédés par le calcul et par l'écoulement du temps. Les Aztèques et les Mayas avaient un système vicésimal, basé sur des ensembles de vingt unités au lieu de dix, un calendrier solaire et un almanach sacré.

DEUX ANCIENS DIEUX AZTÈQUES
Selon la mythologie aztèque, les plus anciens dieux, créateurs de l'Univers, étaient « le Seigneur et la Dame de notre subsistance ». On les voit ici, assis dans une zone rectangulaire, parlant du temps et du calendrier.

Les *quipus* permettent de recenser la population et d'enregistrer les impôts.

UNE FEMME LIBÉRÉE
Seule une élite, une petite partie de la société méso-américaine, savait lire et interpréter les écrits. Cette femme maya lit un livre posé sur ses genoux.

CINQ JOURS DE MALHEUR
Le calendrier solaire aztèque comportait 365 jours, comme le nôtre, mais répartis en 18 mois de 20 jours, plus cinq, considérés comme des jours néfastes. Cette illustration présente les quatre premiers jours du mois : le couteau de silex, la pluie, la fleur et l'alligator.

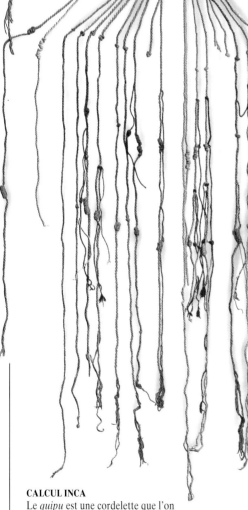

CALCUL INCA
Le *quipu* est une cordelette que l'on tient horizontalement, et d'où pendent verticalement des ficelles. L'information recueillie dépend des types de nœuds, de la longueur de la corde, de la couleur et de la position des ficelles.

Nombres figurés par des nœuds de diverses grosseurs

UN LIVRE PEINT MAYA
Quatre codex mayas ont été conservés. Celui-ci, le *Codex Tro-Cortesianus*, contient des prophéties et des rituels destinés aux prêtres. Les codex sont réalisés sur un papier soigneusement préparé, dont le support est en fibre d'agave (maguey), en écorce, ou en cuir. Les codex mayas sont écrits ou peints à l'aide de pinceaux fins sur de longues bandes de papier d'écorce, pliées en accordéon et recouvertes d'une couche de pâte crayeuse (stuc).

UN COMPTABLE INCA
Un comptable spécial, chargé d'établir les rapports, était expert dans l'art du recensement, qu'il s'agisse de personnes, de lamas, ou de tribut à payer.

Réplique de l'original du *Codex Tro-Cortesianus*

LA PIERRE DE SOLEIL AZTÈQUE

Cette pierre, d'un diamètre de 4 m, est la plus grande sculpture aztèque jamais mise au jour. Au centre se trouve le visage du Soleil, ou peut-être du seigneur de la terre. Ce bas-relief est souvent appelé la « Pierre Calendrier ». En fait, il matérialise la croyance aztèque selon laquelle l'Univers a subi quatre créations successives, alternant avec des phases de destruction. Nous vivons maintenant le cinquième monde, qui est voué à la destruction par des tremblements de terre. Dans la mythologie aztèque, le Soleil, la Lune et les êtres humains ont été créés successivement au début de la cinquième ère.

Le Soleil, ou le seigneur de la terre

Sur cette bande figurent les 20 jours du mois.

L'une des quatre précédentes créations du monde

Le glyphe de date sur la pierre est « jour une mort ».

L'ÉNIGME DES GLYPHES

L'étude de l'écriture hiéroglyphique maya, qui débuta en 1827, a permis d'identifier, en 1950, les noms des dieux et des animaux. En 1960, les chercheurs se sont rendu compte que les inscriptions mayas étaient surtout de nature historique : il y est question de naissances, d'accessions au trône, de guerres, de morts et de mariages de rois mayas. A l'origine, cette pierre gravée était placée au-dessus des portes et des fenêtres. Elle comporte un glyphe qui permet de la dater du VIᵉ siècle apr. J.-C.

LE FAGOT DES ANNÉES

Les Aztèques divisaient le temps en « siècles » de 52 ans. A la fin de chaque cycle et au commencement d'un nouveau, avait lieu une cérémonie dont le nom signifie « la mise en fagot des années ». Dans la sculpture, chaque cycle est représenté par une botte de « roseaux » accompagnée de dates. Ce fagot sculpté en pierre représente donc la mort d'un siècle aztèque.

Barres et points sont les glyphes mayas pour les nombres.

On lit un codex de haut en bas et de gauche à droite.

Glyphes montrant cinq dieux

Glyphes peints sur une fine couche de stuc

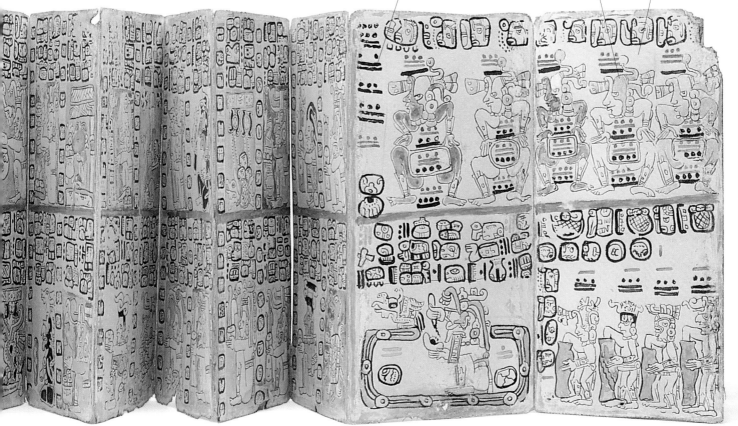

TISSAGE ET FILAGE
SONT L'APANAGE DES FEMMES

Les anciens Péruviens ont réalisé des tissus extraordinaires que l'on a retrouvés, très bien conservés, dans les tombes des régions désertiques du Pérou. Les femmes des Andes, mais aussi celles de Méso-Amérique, se transmettaient l'art du tissage et du filage de mère en fille. On attendait d'elles qu'elles fabriquent tous les textiles de la famille, mais aussi qu'elles contribuent en nature au paiement des tributs et taxes de leurs gouvernants. En Méso-Amérique, les textiles sont surtout en coton et en fibre de maguey (agave), tandis que la laine d'alpaga et de lama est la matière première essentielle dans les Andes.

C'est sur un tel métier à ceinture rudimentaire que la plupart des somptueux tissus andins étaient réalisés.

Tissu nazca à bord frangé

COLORANTS NATURELS
En Méso-Amérique, les cotonnades étaient l'apanage des couches supérieures de la population, les gens du peuple se contentant de tissus en maguey, en yucca et en fibre de palmier. Le fil est coloré avant le tissage. Certains colorants sont constitués de jus de fleurs et de fruits, mais on extrait aussi des pigments de certains coquillages et de la cochenille, un très petit insecte qui vit sur les cactus.

Baguette (servant de cadre) attachée à un arbre ou à un poteau

Les grands fils attachés aux baguettes sont dits de chaîne.

Bâtonnet de rejet

Lisse, tenue dans la main gauche

Les fils de trame passent alternativement au-dessus et en dessous des fils de chaîne.

Bâton fusiforme, servant à tasser régulièrement les fils de trame

LE MÉTIER À TISSER À CEINTURE
Le métier le plus courant dans les Amériques était le métier à tisser à ceinture. Encore très répandu au XXe siècle, il est constitué de deux baguettes qui tiennent la chaîne (fils horizontaux). Ces baguettes sont accrochées à un support par l'une des extrémités du métier, et l'ensemble est raidi par traction. L'autre extrémité est fixée par une sangle, entourant la taille de la tisserande. La trame (fils transversaux) passe alternativement au-dessus et en dessous des fils de chaîne. Pour ce faire, on écarte alternativement les fils de chaîne au moyen d'une lisse et d'un bâtonnet de rejet.

Pour changer le dessin du tissu ou introduire davantage de couleur, on se sert de plusieurs lisses, ou bien on soulève différents groupes de fils de chaîne.

Courroie passant autour de la taille de la tisserande

Cette statuette est peut-être celle de la déesse Ixchel, patronne des tisserandes.

L'ART DU TISSAGE
Cette statuette maya représente une jeune femme assise à même le sol, et qui tisse avec un métier à ceinture.

Femme inca filant tout en marchant

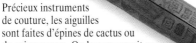

UNE BORDURE DÉCORÉE
La plupart des motifs qui décorent les anciens tissus péruviens sont des formes géométriques – carrés, rectangles, lignes sinueuses – ou des images stylisées d'oiseaux, de poissons, d'animaux terrestres ou de personnages.

ON FILE COMME ON MARCHE
La beauté d'une étoffe dépend de la qualité du fil et de la finesse de son filage.

UN TISSU BRODÉ
Les anciens Péruviens étaient aussi experts en broderie : en peu de points ils réalisaient des motifs étonnants. Le dessin de ce tissu est brodé de serpents et de têtes stylisés, et symbolise peut-être la foudre.

Boîte à aiguilles en bambou

UNE BOÎTE À AIGUILLES
Précieux instruments de couture, les aiguilles sont faites d'épines de cactus ou de cuivre rouge. On les conservait en sûreté dans des boîtes telles que celle-ci. On s'en servait pour coudre, pour repriser, mais aussi pour tisser.

Aiguilles en épines de cactus

Volant en bois

Outil de tissage décoré, trouvé dans une boîte à ouvrage

TISSERANDE NAZCA
La culture nazca était réputée pour la beauté de ses tissus dont les décors se retrouvent aussi sur la poterie. Ce vase représente une femme tenant un fuseau.

Le fuseau et son volant

COMMENT FILER
On fait tourner entre les doigts le fuseau, tenu verticalement, et son volant, pour effilocher les brins, qui sont alors torsadés en un fil fin, lequel s'enroule autour du fuseau.

Balle de coton, non encore filé

Fil de coton filé, enroulé autour de son fuseau

LE PANIER À OUVRAGE DE LA FILEUSE
Cette panière péruvienne en vannerie contient des pelotes de fil, des fuseaux et du coton brut. Ce genre d'objet accompagnait souvent les défuntes dans leur tombe pour qu'elles puissent continuer à tisser dans l'au-delà. Le tissage se pratiquait surtout, semble-t-il, dans la cour extérieure des maisons. Femmes et hommes devaient tisser, filer et réaliser des vêtements et des cordes pour l'empire : c'était une forme d'impôt. Les femmes tissaient, tandis que les hommes faisaient des cordages et des vêtements.

Echeveau de fils de coton teinté

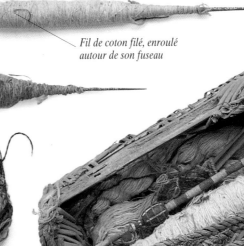

Les femmes rangeaient leur couture et leurs instruments dans des panières en vannerie comme celle-ci.

DES VÊTEMENTS POUR ÊTRE ET POUR PARAÎTRE

Bien que de styles très différents en Méso-Amérique et en Amérique du Sud, les vêtements reflètent la condition sociale de celui qui les porte. Les dignitaires sont en habits d'étoffe de belle qualité, ornés de motifs élaborés et vivement colorés : les Incas les font en laine, sauf sur la côte où l'on préfère le coton ; les gens ordinaires portent de la laine d'alpaga, tandis que les nobles préfèrent la laine soyeuse de la vigogne. En Méso-Amérique, les vêtements sont en coton ou autres fibres végétales et se réduisent souvent à une simple pièce de tissu qui entoure une partie du corps. Dans les deux régions, les hommes possèdent des pagnes. Les femmes aztèques s'enroulent une jupe autour des hanches. Les hommes ont une chasuble posée sur les épaules. Ponchos et tuniques, que l'on enfile par la tête, sont cousus sur les côtés.

DE PIED EN CAP
Dans les Andes du Nord, les Indiens portaient des bonnets en laine tricotée ou en coton. Ce superbe bonnet chimu, aux couleurs vives, a ceci de particulier qu'il est fait de laine tissée.

SANDALE EN FIBRES
Les Incas faisaient leurs sandales dans un cuir provenant de la peau du cou du lama. Dans d'autres régions, les sandales sont en laine ou – c'est le cas ici – en fibres d'aloès.

Cordelettes en laine tressée

C'EST DANS LE SAC
Les hommes du Pérou portaient un petit sac sous leur manteau, en bandoulière sur l'épaule. Ils y mettaient des feuilles de coca à mâchonner et des amulettes.

LE PONCHO SANS MANCHES
Toujours ornés de beaux motifs, les ponchos étaient un vêtement si important que l'on en revêtait les morts avant de les enterrer. Dans les régions montagneuses du Pérou, on peut voir aujourd'hui encore les hommes et les femmes vêtus de leur poncho.

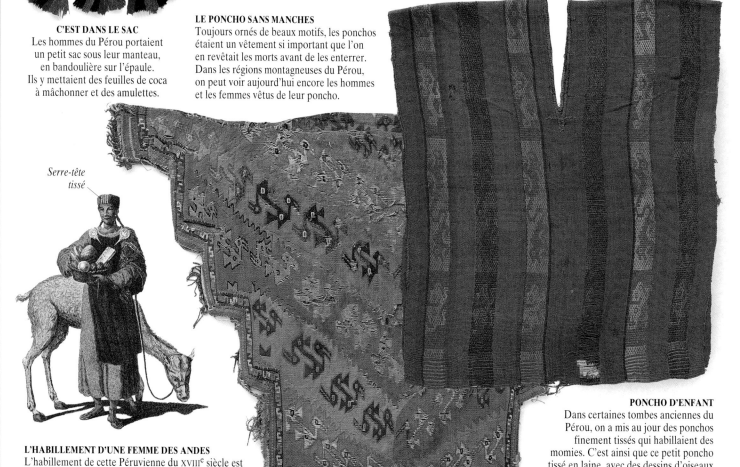

Serre-tête tissé

L'HABILLEMENT D'UNE FEMME DES ANDES
L'habillement de cette Péruvienne du XVIIIe siècle est semblable à celui d'une femme inca : un long rectangle de tissu, un grand manteau et des sandales.

PONCHO D'ENFANT
Dans certaines tombes anciennes du Pérou, on a mis au jour des ponchos finement tissés qui habillaient des momies. C'est ainsi que ce petit poncho tissé en laine, avec des dessins d'oiseaux disposés en bandes diagonales, a été trouvé dans une tombe d'enfant.

44

COLLIER DE COQUILLAGES
En Méso-Amérique, seuls les gouvernants et les nobles portaient des ornements tels que serre-tête, bracelets, boucles d'oreilles, bijoux de nez ou de lèvres. Même les colliers de coquillages, comme celui-ci, ne pouvaient être la parure de tous.

À MÉTIERS DIFFÉRENTS, VÊTEMENTS DIFFÉRENTS
Les Aztèques portaient des vêtements correspondant à leur rôle social. Les coiffures extravagantes, les costumes somptueux des personnages représentés ici indiquent qu'ils sont de haut rang.

COORDONNÉS
Cette femme maya porte un turban, un châle et une jupe assortis. Ses beaux cheveux longs sont noués en arrière par des rubans blancs. Son oreille est décorée d'une plume et son bras d'un bracelet, probablement en cuir.

Ombrelle

Coiffure complexe, avec deux replis

JOLIE DEMOISELLE
Cette statuette richement vêtue représente de toute évidence une femme maya de haut rang. Sa coiffure présente deux replis. Les boucles d'oreilles bleues figurent sans doute des turquoises. Le collier de perles a le même aspect que les colliers de jade mayas. Elle a des bracelets à chaque bras et tient une ombrelle dans sa main gauche pour se protéger le visage.

CHASUBLE FANTAISIE
Ce genre de cape était très répandu en Méso-Amérique. La cape décorée de ce commandeur de l'armée indique qu'il est de haut rang.

Robe avec des trous pour les bras et un col découpé au carré

L'ÉLÉGANCE AU MASCULIN
Cette tête mixtèque grandeur nature permet de se rendre compte du genre d'accoutrement de l'époque : l'homme porte, noué sur le front, un serre-tête orné d'une tête d'oiseau au milieu et de disques bleus sur les côtés. Ses cheveux sont libres, il a des boucles d'oreilles rondes bleues et sa bouche est peinte de taches noires et blanches qui évoquent un ornement buccal.

Les femmes mayas marchent souvent nu-pieds.

VASE À FRESQUE MAYA
Ce pot cylindrique, décoré d'un jaguar, est un modèle commun chez les Mayas. La peinture y est appliquée sur une première couche en stuc encore humide.

EXTRAVAGANCES EN TERRE CUITE

La céramique des anciennes cultures du nord des Andes est un art très inventif. Les peuples de la Méso-Amérique ont, eux aussi, une tradition de poterie diversifiée. Ni les uns ni les autres ne connaissent le tour dont l'absence est largement compensée par la créativité. Ils réalisent une grande variété de formes qu'ils peignent, sculptent ou estampent. Les plus belles céramiques sont destinées aux riches, ou à un usage rituel. La poterie de tous les jours est sobre. Les civilisations andines n'avaient pas d'écriture, mais leur poterie est une excellente source d'informations sur leurs auteurs, leurs idées religieuses et les influences culturelles subies.

JARRE ARYBALLE
La poterie inca, de haute qualité, présente quelques formes standardisées. La plus typique est la jarre aryballe, dont la base est conique, le col haut et le goulot élargi.

Jarre utilisée pour conserver l'eau, ou peut-être la bière chicha

VASE MOCHÉ EN FORME DE GRENOUILLE
Les potiers moché puisaient leur inspiration dans l'observation des gens, des plantes et surtout d'animaux variés, dont ils recréent des formes réalistes et originales. Les pots à col en forme d'étrier sont réservés aux libations, offrandes liquides aux dieux.

VASE NAZCA
La civilisation nazca est remarquable par sa poterie multicolore, représentant des créatures soit réelles, soit mythologiques, comme ce démon à corps humain.

Vase nazca photographié déroulé pour montrer son décor

Vase-grenouille, avec col en forme d'étrier

Yeux en jade et en coquillages

Morceaux de coquilles

VASE EN FORME DE CANARD
Voici un bon exemple de la créativité et de l'imagination des potiers de Teotihuacan. Les yeux de l'oiseau sont en jade et en coquillages et le corps est orné de coquilles de gastéropodes.

Le mode de fabrication d'un vase, sa forme et les motifs qui le décorent permettent aux chercheurs de déterminer l'époque à laquelle il a été fait.

LA PALETTE DU PEINTRE
Les potiers de Teotihuacan se servaient sans doute d'une sorte de palette pour mélanger les colorants. Les pigments utilisés étaient d'origine végétale et minérale. Cet objet en poterie est peut-être une palette pour les pigments.

**LA STATUETTE
ET SON MOULE**
Cette figurine d'une déesse avec ses deux enfants a été réalisée à partir d'un moule en argile. On l'a trouvée sur l'autel d'une maison paysanne : les propriétaires n'avaient sans doute pas pu acheter un objet plus volumineux ou réalisé dans un meilleur matériau.

Déesse en argile

Moule pour la déesse

Habituellement, les potiers aztèques décorent l'intérieur des bols.

BOL AZTÈQUE
Le décor de ce bol est un motif abstrait constitué de lignes en zig-zag. Il se limite généralement, comme ici, à deux couleurs.

Oiseau-mouche posé sur le bord

Cette urne renfermait des cendres humaines.

COUPE MIXTÈQUE
L'oiseau-mouche posé sur le bord de ccttc coupe mixtèque en fait un objet surprenant. La base présente le traditionnel motif « grecque », fréquent chez les potiers de cette civilisation.

« Grecque »

Urne trouvée au Grand Temple aztèque

URNE FUNÉRAIRE
Certains vases ne sont pas peints, mais ciselés. Sur cette face de l'urne, on distingue un dieu barbu dont le cou est orné d'un collier. Il tient un propulseur dans une main et des lances dans l'autre.

L'OISEAU, LE GUERRIER ET LE DIGNITAIRE

Pour leurs couleurs vives et l'éclat de leurs plumes, les oiseaux des tropiques étaient si prisés qu'on les utilisait dans le commerce et comme paiement du tribut en Méso-Amérique et dans le nord des Andes. On les chasse et on les élève, et leurs plumes sont travaillées en assemblages surprenants. En Méso-Amérique, les plumes vertes irisées du quetzal étaient les plus appréciées. Les Incas utilisaient des plumes dans leur habillement et les intégraient dans des vêtements tissés, réservés à des occasions particulières. Ils en décoraient coiffures et tuniques et ils procédaient aussi à des assemblages de plumes collées sur support rigide, par exemple un bouclier. Les artisans aztèques spécialisés ne travaillaient que pour la noblesse. Les Mayas, eux, réalisaient des coiffures qui descendaient jusqu'au bas du dos.

MOSAÏQUE DE PLUMES
Avant la conquête, la ville de Mexico possédait une corporation d'artisans confirmés. Ils faisaient des mosaïques de plumes en combinant collage et tissage. Ce savoir-faire a été étudié et illustré par un moine espagnol, Bernardino de Sahagún.

Haute coiffure de plumes

ARTISANS PLUMASSIERS
Cet habit est considéré comme un poncho. Chacune des plumes est soigneusement cousue sur un vêtement en coton pour reconstituer l'allure d'une chouette ou d'un poisson. De nombreuses cultures de l'ancien Pérou, tels les Chimu et les Incas, ont des artisans plumassiers.

Eventail de plumes d'ara

Poignée en laine brune tressée

ONDOIEMENT COLORÉ
Les anciens Péruviens faisaient des éventails vivement colorés en plumes d'oiseaux des tropiques. Ils réalisaient aussi de nombreux objets utiles en plumes, particulièrement avec celles des perroquets et des aras, leurs oiseaux préférés.

On fixe la coiffure avec des cordonnets qui entourent la tête.

COIFFURE DE PLUMES
Cette coiffure péruvienne simple est, semble-t-il, en plumes d'oiseaux de la région amazonienne. Ce type d'accessoire en plumes exotiques révèle le haut rang de son propriétaire.

COIFFURE DE MOTECUZOMA
Voici la réplique d'une coiffure attribuée à Motecuzoma II, le dernier empereur aztèque. L'original est un élément du butin envoyé en Espagne par Cortés. Cette coiffure est constituée de plumes vertes de quetzal, de plumes bleues de cotinga et de disques d'or.

La coiffure regroupe les plumes d'au moins 250 oiseaux.

Sur cette face, l'éventail comporte un papillon, et sur l'autre une fleur.

ÉVENTAIL MEXICAIN
Ce type d'éventail, constitué de plumes de plusieurs espèces d'oiseaux, n'était destiné qu'à des dignitaires.

Manche en bambou

Coiffure de plumes

Manteau de plumes jaunes et vertes

Vue de dos

Vue de face

Vue de côté

L'ÉQUIPEMENT DU GUERRIER
On pouvait déterminer le rang d'un guerrier aztèque aux vêtements qu'il portait. Cet habit de plumes très élaboré, avec bouclier et coiffure, appartenait à un guerrier de haut rang.

Coiffure de plumes

Habit de plumes appartenant à un guerrier de haut rang

Bouclier en plumes

PLUMES DE PIERRE
Cette statuette atlantéenne, d'un temple de Chichen Itza, a été peinte sur toute sa surface. Les deux aquarelles (à sa gauche et à sa droite) la présentent dans son état d'origine. Le personnage a une coiffure et un manteau de plumes qui descend jusqu'au sol.

RECONSTRUIRE LE PASSÉ
Ces aquarelles, dues à l'artiste britannique Adela Breton, nous donnent une idée de la façon dont les sculptures précolombiennes ont été peintes et de l'allure originelle des bâtiments de Chichen Itza.

Habit de plumes

OR, ARGENT ET PUISSANCE

Au Pérou, l'utilisation de métaux précieux pour confectionner des outils comme des œuvres d'art commence il y a 3 500 ans. Le plus ancien objet en métal précieux trouvé dans les Andes remonte à cette période, mais les méthodes de façonnage de ces métaux s'améliorent ensuite rapidement. Largement répandus en Amérique du Sud, avant l'ère chrétienne, les métaux précieux sont introduits en Méso-Amérique vers 850 av. J.-C. Il s'agit surtout, dans les deux cas, d'or, d'argent et de platine utilisés pour confectionner des objets indispensables dans les rites, des bijoux et des colifichets. On effectue aussi des alliages or-argent ou cuivre-or (ce dernier appelé « tumbaga »). Porter des bijoux de ce métal est un signe de richesse et de puissance. Lorsqu'un homme ou une femme meurt, sa tombe est remplie d'objets exceptionnels d'or et d'argent, incrustés de pierres précieuses.

UN BIJOU AUX LÈVRES
Des têtes d'aigle comme celle-ci étaient répandues chez les Mixtèques où elles servaient d'ornement de lèvre, ou labret. Les Mixtèques réalisaient l'essentiel de l'orfèvrerie pour l'élite aztèque. On fixe le labret dans un trou percé sous la lèvre inférieure.

MI-HOMME, MI-BÊTE
Les orfèvres précolombiens réalisaient de nombreuses créatures fantastiques, telle cette figurine.

VASE-PORTRAIT
Ce vase est dit vase-portrait, car il représente, semble-t-il, le visage d'une personne réelle. Ce type d'objet est souvent en argent battu.

Œil en amande

Nez aquilin

Dessin d'oiseau obtenu par martelage

TIMBALE EN ARGENT
Communément appelées *keros*, la plupart de ces timbales ont été mises au jour dans tout le nord des Andes, dans les cimetières, près des corps, en compagnie d'autres objets. Certains *keros* étaient réservés à la *chicha*, une sorte de bière faite à partir du maïs. Ils sont parfois incrustés de turquoises. Celui-ci est l'œuvre d'un artisan chimu, donc antérieur à la période inca.

UN ÉLÉGANT COLLIER

On a retrouvé la majorité des rares objets d'or provenant du bassin de Mexico dans le Grand Temple des Aztèques. Les perles de ce collier sont en or creux. Certaines sont décorées d'un dessin en spirale.

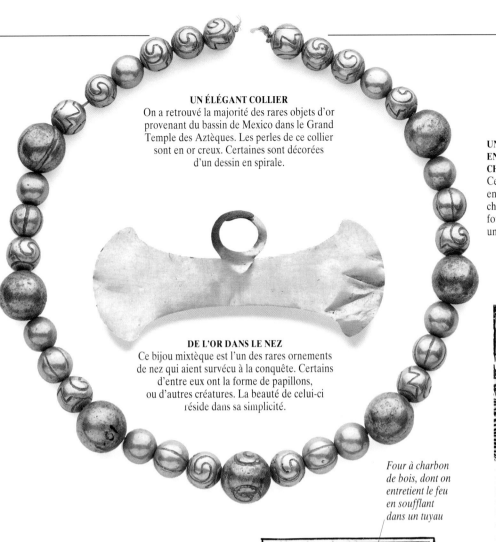

DE L'OR DANS LE NEZ

Ce bijou mixtèque est l'un des rares ornements de nez qui aient survécu à la conquête. Certains d'entre eux ont la forme de papillons, ou d'autres créatures. La beauté de celui-ci réside dans sa simplicité.

Foudre

UN HOCHET EN FORME DE CHAUVE-SOURIS

Ce hochet moulé en or représente un dieu chauve-souris qui tient la foudre dans une main et un javelot dans l'autre.

DEUX ORPAILLEURS

La plus grande partie de l'or utilisé par les Indiens du Pérou est mise au jour dans des « placers », ou sites de rivière, car l'or s'y trouve en surface. Les orpailleurs cassent le sédiment aurifère avec des bâtons durcis au feu puis le fragmentent en le lavant dans des batées.

Four à charbon de bois, dont on entretient le feu en soufflant dans un tuyau

Boucle d'oreille en forme de crochet

La statuette tient un étendard ou une bannière.

Poignée en forme d'oiseau-mouche

DEUX CUILLÈRES À « COCA »

Ces petites cuillères servaient à la préparation d'une drogue, la *coca*. On dépose l'extrait réduit en poudre dans une feuille de coca, que l'on roule en boule avant de la mâchonner.

Poignée en forme de singe

L'ORFÈVRE

L'orfèvre avait un statut privilégié dans la société aztèque. Il réalisait les formes les plus complexes en utilisant la méthode dite à la cire perdue. Il sculptait d'abord un moule positif (en plein) en cire et le recouvrait soigneusement d'argile. Chauffée, la cire fond, et le moule en creux se remplit de métal fondu. Ce dessin montre l'orfèvre prêt à verser de l'or en fusion (à près de 1 100 °C) dans un moule.

Très apprécié dans les Andes, le lama est le sujet stylisé de nombreuses figurines.

FIGURINE ZAPOTÈQUE EN OR

De nombreux bijoux en or représentent des personnages importants ou des dieux. Les objets qu'ils tiennent avaient peut-être, pour les peuples de Méso-Amérique, une valeur symbolique, mais on la connaît mal. Cette statuette d'homme ou de dieu debout est probablement l'œuvre d'un orfèvre zapotèque. Elle porte un pendentif auquel sont suspendues trois cloches.

UN LAMA EN OR

Les Incas fabriquaient des vases et des statuettes par moulage, en versant le métal fondu dans une forme en creux. Certains bijoux, comme ce lama, sont faits de parties moulées séparément puis réunies ultérieurement par soudage.

DES PIERRES PRÉCIEUSES, SYMBOLES DE VIE

Incas, Mayas et Aztèques aimaient beaucoup les pierres précieuses, et les artisans expérimentés en faisaient de merveilleux objets. Les peuples de Méso-Amérique utilisaient des pierres de différentes couleurs susceptibles d'acquérir un beau poli, comme le jade, et de façon générale les pierres vertes, la turquoise, l'onyx, le cristal de roche et le porphyre (roche rouge sombre). Les Incas recherchaient la turquoise, qu'ils utilisaient sous forme d'incrustations dans les objets d'or et d'argent. Ils réalisaient des bijoux, divers types de récipients, des masques et des sculptures. Le jade était pour les peuples méso-américains le matériau le plus précieux. Il est associé à l'eau, le liquide qui donne la vie, et à la couleur du plant de maïs, l'aliment principal. La turquoise était aussi très recherchée ; on la travaillait avec beaucoup de soin en Méso-Amérique et dans les Andes.

Collier formé de disques épais, en turquoise

COLLIER EN TURQUOISE
Dans le nord des Andes, la turquoise servait à réaliser des bijoux et à décorer des objets tels que des poteries et des statues. Ce collier est probablement l'œuvre d'Incas.

Perles rouges en coquillage

COLLIER DE TURQUOISE ET D'OR
La turquoise était très appréciée dans le nord des Andes. Rares sont les objets, comme ce collier inca délicatement ouvragé, qui ont été conservés jusqu'au XXᵉ siècle.

FEMME CHIMU
Cette statuette chimu (à gauche) figure une femme richement coiffée et parée d'un collier dont les nombreuses perles sont sans doute en pierres et en coquillages.

Elément en turquoise

Perle creuse en or

UN VAMPIRE
Ce masque zapotèque en mosaïque est constitué de 25 pièces de jade. Il a la forme d'une tête humaine recouverte d'un masque de vampire. La chauve-souris est un symbole important dans l'art zapotèque.

Œil en coquillage

TEL PÈRE, TEL FILS
Des artisans, comme ce lapidaire (tailleur de pierres précieuses), transmettaient leur savoir-faire à leurs fils qui reprenaient leur activité à l'âge adulte. Les Aztèques pensaient que cet art provenait des Toltèques, qui recevaient leurs dons du dieu Quetzalcoatl.

Détail du *Codex Mendoza*

COUPE EN ONYX
En Méso-Amérique, l'onyx n'était utilisé que pour des objets destinés à l'élite. A partir d'un grand morceau d'onyx, l'artisan extrait la partie centrale à l'aide d'outils en obsidienne (ci-dessus). La forme ronde est la plus courante car c'est celle que l'on obtient le plus facilement.

MASQUE DE TURQUOISE
L'un des arts les plus remarquables de la Méso-Amérique était celui de la mosaïque, surtout en turquoise. Ce masque du dieu Quetzalcoatl est l'une des mosaïques mexicaines les mieux conservées.

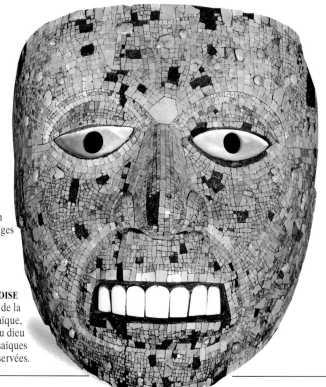

Yeux et dents en coquillages

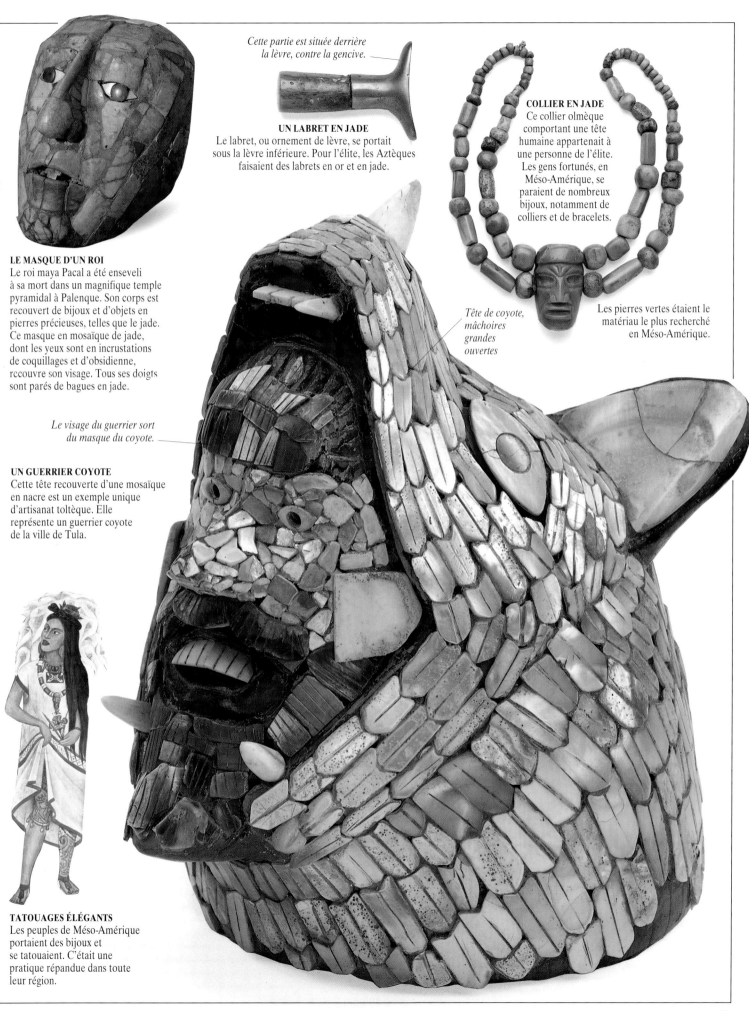

UN LABRET EN JADE
Cette partie est située derrière la lèvre, contre la gencive.
Le labret, ou ornement de lèvre, se portait sous la lèvre inférieure. Pour l'élite, les Aztèques faisaient des labrets en or et en jade.

COLLIER EN JADE
Ce collier olmèque comportant une tête humaine appartenait à une personne de l'élite. Les gens fortunés, en Méso-Amérique, se paraient de nombreux bijoux, notamment de colliers et de bracelets.

Les pierres vertes étaient le matériau le plus recherché en Méso-Amérique.

LE MASQUE D'UN ROI
Le roi maya Pacal a été enseveli à sa mort dans un magnifique temple pyramidal à Palenque. Son corps est recouvert de bijoux et d'objets en pierres précieuses, telles que le jade. Ce masque en mosaïque de jade, dont les yeux sont en incrustations de coquillages et d'obsidienne, recouvre son visage. Tous ses doigts sont parés de bagues en jade.

Tête de coyote, mâchoires grandes ouvertes

Le visage du guerrier sort du masque du coyote.

UN GUERRIER COYOTE
Cette tête recouverte d'une mosaïque en nacre est un exemple unique d'artisanat toltèque. Elle représente un guerrier coyote de la ville de Tula.

TATOUAGES ÉLÉGANTS
Les peuples de Méso-Amérique portaient des bijoux et se tatouaient. C'était une pratique répandue dans toute leur région.

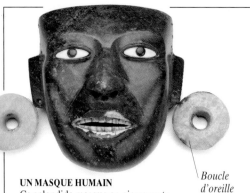

UN MASQUE HUMAIN
Ce splendide masque en pierre verte
trouvé dans le Grand Temple des
Aztèques est une offrande aux dieux.
Il est incrusté de coquillages et
d'obsidienne, et le lobe
des oreilles est percé
pour y fixer
des boucles
d'oreilles.

*Boucle
d'oreille
en jade*

LES MASQUES EXPRIMENT LES COULEURS DU MONDE

Pendant des centaines d'années on a porté dans les Amériques
des masques en or, en obsidienne, en jade et en bois, certains
incrustés de turquoise et de corail. Souvent, on met un masque
aux momies pour protéger les défunts des dangers de l'au-delà.
Chez les Incas et les Aztèques, pour lesquels la musique et la danse
(pp. 56-57) sont une forme d'expression religieuse, les masques et
les costumes ont une signification symbolique. Même à la veille du
XXIe siècle, les peuples de Méso-Amérique
et du nord des Andes portent encore
des masques pendant les festivités.

MASQUE EN CUIVRE BATTU
On a découvert des masques en cuivre, comme celui
de gauche, sur des momies exhumées de tombes
situées au nord des Andes. Plus le défunt est riche,
plus sa tombe est élaborée et plus les matériaux
qui ont servi à envelopper la momie sont luxueux
et décorés.

*Masque
en pierre*

LE PRIX D'UN VISAGE
On a trouvé, dans le Grand Temple aztèque,
beaucoup d'objets provenant de la région de
Mezcala. Des masques en pierre comme celui-ci
faisaient partie des tributs versés aux Aztèques.

*Les trous
de ce masque
ont pu servir à
faire passer des
cheveux.*

*Œil décoré
de perles en
émeraude*

TÊTE MAYA
Bien souvent, les masques et les
têtes sculptées nous donnent une
idée de l'allure des Indiens. Cette
sculpture suggère que les Mayas
pratiquaient la déformation
crânienne pour que le sommet
de la tête s'accroisse en donnant
un front plus fuyant que nature.

MASQUE D'OR
Ce masque funéraire chimu,
constitué d'une feuille d'or,
recouvrait le visage d'une
momie. L'ornement de nez,
décoré de disques d'or, a été
fabriqué séparément.

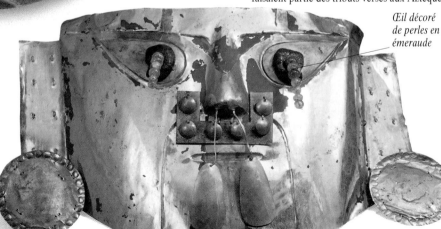

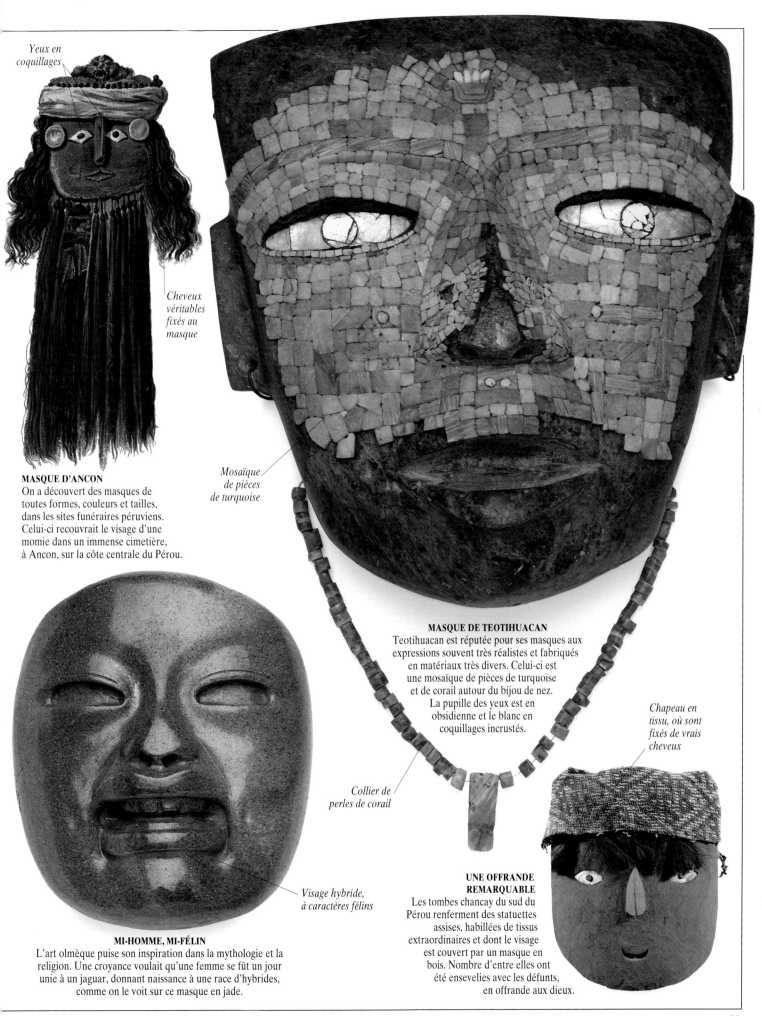

Yeux en coquillages

Cheveux véritables fixés au masque

MASQUE D'ANCON
On a découvert des masques de toutes formes, couleurs et tailles, dans les sites funéraires péruviens. Celui-ci recouvrait le visage d'une momie dans un immense cimetière, à Ancon, sur la côte centrale du Pérou.

Mosaïque de pièces de turquoise

MASQUE DE TEOTIHUACAN
Teotihuacan est réputée pour ses masques aux expressions souvent très réalistes et fabriqués en matériaux très divers. Celui-ci est une mosaïque de pièces de turquoise et de corail autour du bijou de nez. La pupille des yeux est en obsidienne et le blanc en coquillages incrustés.

Chapeau en tissu, où sont fixés de vrais cheveux

Collier de perles de corail

Visage hybride, à caractères félins

UNE OFFRANDE REMARQUABLE
Les tombes chancay du sud du Pérou renferment des statuettes assises, habillées de tissus extraordinaires et dont le visage est couvert par un masque en bois. Nombre d'entre elles ont été ensevelies avec les défunts, en offrande aux dieux.

MI-HOMME, MI-FÉLIN
L'art olmèque puise son inspiration dans la mythologie et la religion. Une croyance voulait qu'une femme se fût un jour unie à un jaguar, donnant naissance à une race d'hybrides, comme on le voit sur ce masque en jade.

AU RYTHME DU TAMBOUR

La musique, le chant et la danse étaient et sont encore des activités essentielles de la vie indienne. Des scènes de personnages jouant de la musique et des danseurs décorent de nombreux vases, surtout ceux des potiers moché. Les instruments les plus répandus en Amérique latine étaient les hochets, sifflets, trompettes, flûtes, cloches en cuivre rouge et coquillages. Les instruments à cordes étaient presque inconnus dans les Amériques. En Amérique du Sud, la musique n'est pas très variée et, souvent, les instruments ne jouent qu'une seule note. Pour ces civilisations, la musique et la danse étaient étroitement associées à la religion. Paysan ou gouvernant, chacun prend part aux danses dédiées aux dieux.

FLÛTISTE MOCHICA
De nombreux vases moché figurent le portrait réaliste de quelqu'un et son passe-temps. Celui-ci indique que l'on jouait de la flûte dans le nord des Andes.

Extrémité du hochet en forme de tête de chien

TROMPETTE EN TERRE CUITE
Les trompettes mochicas sont droites ou repliées sur elles-mêmes. Celle-ci se termine par deux têtes de félin, qui représentent peut-être celles d'un dieu. Cette forme-ci est typique des trompettes mochicas.

Les têtes de félin ont la gueule béante et montrent les crocs.

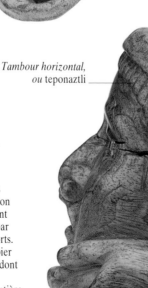

Mât orné de feuilles de papier et de drapeaux

Tambour horizontal, ou teponaztli

Du temps des Aztèques, on jouait de deux types de tambour : le *huehuetl*, ou *tlapanhuehuetl* (tambour vertical), et le *teponaztli*, ou tambour horizontal.

LA FÊTE DES MORTS
La danse et la musique accompagnaient les fêtes et les événements rituels. L'illustration montre des hommes qui dansent autour d'un mât en se tenant par la main, lors d'une fête des morts. Le mât est orné de feuilles de papier et surmonté de trois grands drapeaux, dont l'un est décoré de plumes. Les Aztèques honoraient l'image d'un défunt avec des drapeaux. La fête durait une journée entière, et les gens dansaient au rythme du tambourin, dont jouait un prêtre. Mais les danseurs représentés ci-contre sont des captifs qui seront ensuite brûlés en sacrifice.

Tambour recouvert d'une peau de félin

FLÛTE DE PAN INCA
L'instrument de musique le plus
répandu dans les Andes était la syrinx,
ou flûte de Pan. Elle est habituellement
faite en canne ou en terre cuite.
Mais cette flûte inca est en plumes
de condor et produit des sons
délicats lorsqu'on souffle
sur le bord des tubes.

*Tuyaux de plumes,
maintenus ensemble
par un tuyau
horizontal et
par un cordonnet*

*Les flûtes de Pan sont
formées de tubes de
différentes longueurs.*

**HOCHET EN
TERRE CUITE**
Les hochets sont en
poterie, en métal, ou formés
de nervures de grandes graines.
Ce hochet mochica se termine
par une tête de chien, tandis que
la poignée a la forme d'une tête
humaine. Ici, le hochet n'est pas un
jouet d'enfant, mais un instrument
de musique pour adultes.

*Tête
humaine*

CÉLÉBRATION EN MUSIQUE
Les instruments incas étaient, pour la
plupart, à vent et à percussion. Lors de
cette fête, les femmes chantent, dansent et
jouent du tambour, tandis que les hommes
jouent de la flûte, ou *quenas*.

AU RYTHME DU TAMBOUR
Les tambours horizontaux, ou
teponaztli, sont formés d'une bûche
creuse présentant un trou en dessous
et une fente sur le dessus. On en joue
avec des baguettes dont l'extrémité est
recouverte d'un embout en caoutchouc.
Ils sont décorés de sculptures
enchevêtrées ou de formes réalistes,
animales ou humaines. Certains sont
peints ou dorés. L'illustration tirée
d'un codex (à droite) représente
un orchestre aztèque dans lequel
le tambour est sculpté en forme
d'homme : cheveux flottants
et coiffure à pompons et à plumes.

ORCHESTRE AZTÈQUE
Pas de danses sans hochets en calebasses (ou en
forme de calebasses). On en voit dans les livres
aztèques et sur les peintures murales mayas.
Le dessin représente des hommes qui secouent
des hochets et deux batteurs dont l'un joue
du *teponaztli* et l'autre du *huehuetl*.

**UNE FLÛTE
TRÈS SPÉCIALE**
Les peuples méso-américains
jouaient de toutes sortes de flûtes,
depuis les plus simples, et droites,
jusqu'aux plus élaborées comme celle-ci :
on y voit une femme debout sur un disque percé de
plusieurs ouvertures. Selon toute vraisemblance on
ne jouait de ce genre de flûte, particulier à la Méso-
Amérique, que lors de cérémonies religieuses.

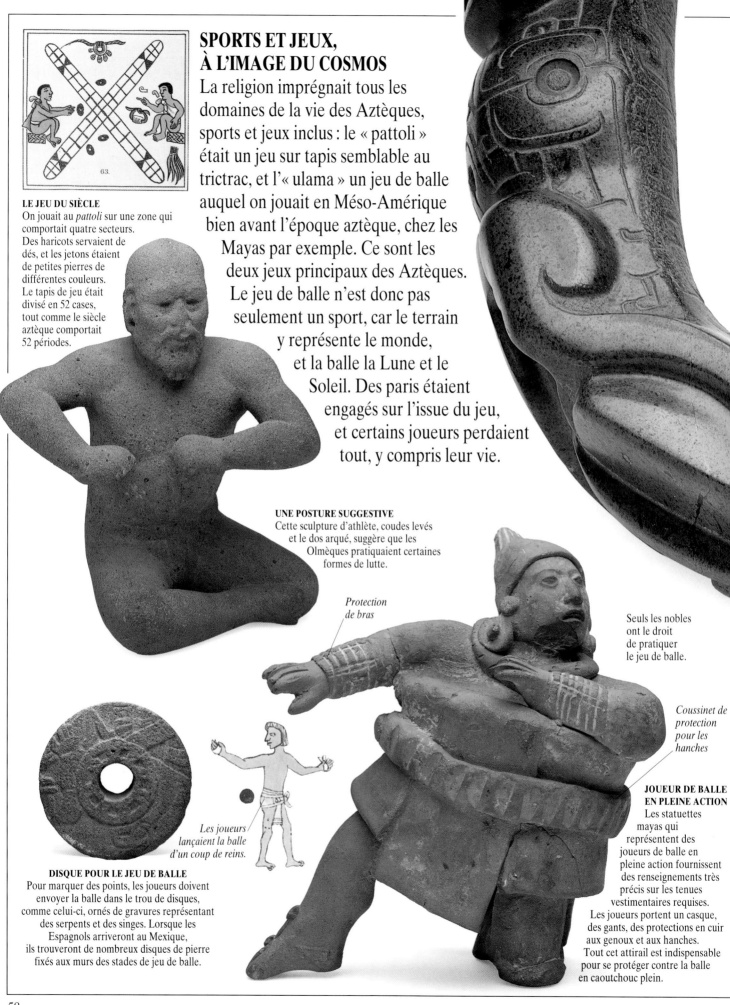

SPORTS ET JEUX, À L'IMAGE DU COSMOS

La religion imprégnait tous les domaines de la vie des Aztèques, sports et jeux inclus : le « pattoli » était un jeu sur tapis semblable au trictrac, et l'« ulama » un jeu de balle auquel on jouait en Méso-Amérique bien avant l'époque aztèque, chez les Mayas par exemple. Ce sont les deux jeux principaux des Aztèques. Le jeu de balle n'est donc pas seulement un sport, car le terrain y représente le monde, et la balle la Lune et le Soleil. Des paris étaient engagés sur l'issue du jeu, et certains joueurs perdaient tout, y compris leur vie.

LE JEU DU SIÈCLE
On jouait au *pattoli* sur une zone qui comportait quatre secteurs. Des haricots servaient de dés, et les jetons étaient de petites pierres de différentes couleurs. Le tapis de jeu était divisé en 52 cases, tout comme le siècle aztèque comportait 52 périodes.

UNE POSTURE SUGGESTIVE
Cette sculpture d'athlète, coudes levés et le dos arqué, suggère que les Olmèques pratiquaient certaines formes de lutte.

Protection de bras

Seuls les nobles ont le droit de pratiquer le jeu de balle.

Coussinet de protection pour les hanches

Les joueurs lançaient la balle d'un coup de reins.

DISQUE POUR LE JEU DE BALLE
Pour marquer des points, les joueurs doivent envoyer la balle dans le trou de disques, comme celui-ci, ornés de gravures représentant des serpents et des singes. Lorsque les Espagnols arriveront au Mexique, ils trouveront de nombreux disques de pierre fixés aux murs des stades de jeu de balle.

JOUEUR DE BALLE EN PLEINE ACTION
Les statuettes mayas qui représentent des joueurs de balle en pleine action fournissent des renseignements très précis sur les tenues vestimentaires requises. Les joueurs portent un casque, des gants, des protections en cuir aux genoux et aux hanches. Tout cet attirail est indispensable pour se protéger contre la balle en caoutchouc plein.

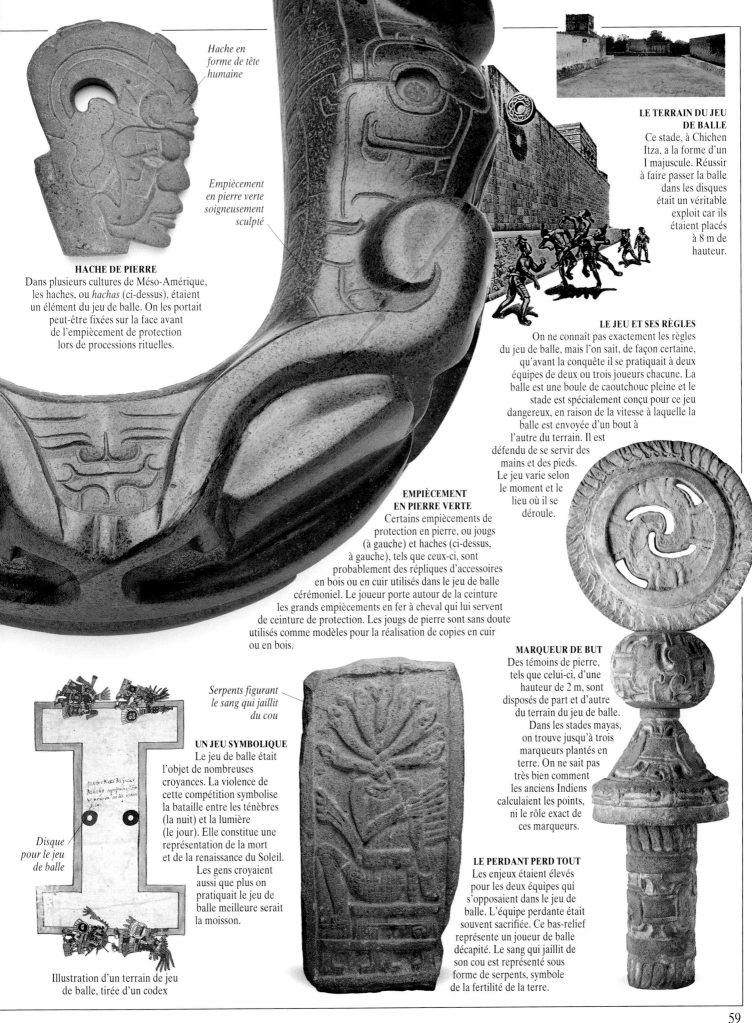

HACHE DE PIERRE
Dans plusieurs cultures de Méso-Amérique, les haches, ou *hachas* (ci-dessus), étaient un élément du jeu de balle. On les portait peut-être fixées sur la face avant de l'empièce de protection lors de processions rituelles.

Hache en forme de tête humaine

Empièce en pierre verte soigneusement sculpté

LE TERRAIN DU JEU DE BALLE
Ce stade, à Chichen Itza, a la forme d'un I majuscule. Réussir à faire passer la balle dans les disques était un véritable exploit car ils étaient placés à 8 m de hauteur.

LE JEU ET SES RÈGLES
On ne connaît pas exactement les règles du jeu de balle, mais l'on sait, de façon certaine, qu'avant la conquête il se pratiquait à deux équipes de deux ou trois joueurs chacune. La balle est une boule de caoutchouc pleine et le stade est spécialement conçu pour ce jeu dangereux, en raison de la vitesse à laquelle la balle est envoyée d'un bout à l'autre du terrain. Il est défendu de se servir des mains et des pieds. Le jeu varie selon le moment et le lieu où il se déroule.

EMPIÈCE EN PIERRE VERTE
Certains empièces de protection en pierre, ou jougs (à gauche) et haches (ci-dessus, à gauche), tels que ceux-ci, sont probablement des répliques d'accessoires en bois ou en cuir utilisés dans le jeu de balle cérémoniel. Le joueur porte autour de la ceinture les grands empièces en fer à cheval qui lui servent de ceinture de protection. Les jougs de pierre sont sans doute utilisés comme modèles pour la réalisation de copies en cuir ou en bois.

MARQUEUR DE BUT
Des témoins de pierre, tels que celui-ci, d'une hauteur de 2 m, sont disposés de part et d'autre du terrain du jeu de balle. Dans les stades mayas, on trouve jusqu'à trois marqueurs plantés en terre. On ne sait pas très bien comment les anciens Indiens calculaient les points, ni le rôle exact de ces marqueurs.

Serpents figurant le sang qui jaillit du cou

UN JEU SYMBOLIQUE
Le jeu de balle était l'objet de nombreuses croyances. La violence de cette compétition symbolise la bataille entre les ténèbres (la nuit) et la lumière (le jour). Elle constitue une représentation de la mort et de la renaissance du Soleil. Les gens croyaient aussi que plus on pratiquait le jeu de balle meilleure serait la moisson.

Disque pour le jeu de balle

LE PERDANT PERD TOUT
Les enjeux étaient élevés pour les deux équipes qui s'opposaient dans le jeu de balle. L'équipe perdante était souvent sacrifiée. Ce bas-relief représente un joueur de balle décapité. Le sang qui jaillit de son cou est représenté sous forme de serpents, symbole de la fertilité de la terre.

Illustration d'un terrain de jeu de balle, tirée d'un codex

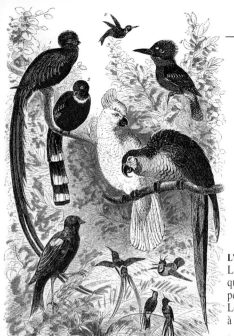

LE BESTIAIRE, TRÉSOR VIVANT

Dans les Amériques d'avant la conquête, la vie animale était riche et variée. Les animaux jouaient un rôle important à la fois dans la vie religieuse et profane. De nombreuses œuvres d'art représentent ceux qui ont, pour les Indiens, une signification symbolique : renards, chouettes, oiseaux-mouches, jaguars, aigles, lamas... Certains animaux sont domestiqués : la dinde et le chien en Méso-Amérique, le lama et l'alpaga dans la région andine. Tout comme leurs cousins, les lamas et les alpagas, les guanacos et les vigognes étaient recherchés pour leur laine et leur viande, et utilisés comme bêtes de somme. Dans les deux régions, on trouvait en abondance cerfs, lapins, canards et quantité d'oiseaux comestibles. Les forêts tropicales abritaient le jaguar que l'on adorait et craignait autant que les serpents.

L'AVIFAUNE
La Méso-Amérique faisait vivre quantité d'oiseaux tropicaux : perroquets, aras et quetzals. Leurs plumes brillantes servaient à décorer objets et vêtements.

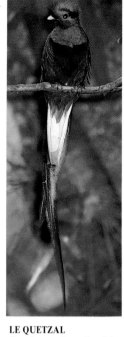

LE QUETZAL
Cet oiseau très recherché par les anciens peuples méso-américains a de grandes plumes d'un vert sombre qui étaient jadis aussi précieuses que le jade et l'or. Certaines représentations de dieux en sont recouvertes, et l'on s'en servait aussi pour confectionner les coiffures des dirigeants et des rois.

Voici un exemple de poterie plombée toltèque. Le plomb mêlé à l'argile donne à ce vase un aspect métallique.

TAPISSERIE AVEC OISEAUX
La culture de Paracas est réputée pour les tissus décorés qui accompagnaient les morts. Ce fragment de tissu présente un motif stylisé, typique de cette civilisation.

Cet animal mythique a des oreilles et une queue de singe, et des griffes de félin.

RENARD
Les animaux qui, comme le renard, chassent et tuent d'autres animaux sont à leur tour tués par les Aztèques et les Incas. Ce vase moché figure un renard menaçant.

ÉTOFFE AU « DIABLE »
Les Paracas tissaient ou brodaient sur les tissus des représentations animales, souvent stylisées. Parfois, on distingue mal, sous les formes géométriques, l'animal représenté.

CHIEN TOLTÈQUE EN CÉRAMIQUE
Les Aztèques et les Mayas engraissaient certaines races de chiens pour les manger, mais les Incas étaient hostiles à cette pratique. Pour les peuples méso-américains, les chiens sont des compagnons de chasse. D'après leur religion, les chiens sont également utiles aux défunts car, dans l'au-delà, ils les aident à traverser les rivières.

Ce vase moché, au col en étrier, est en forme de tête de renard.

Les vigognes vivent dans les prairies des montagnes andines.

Les vigognes atteignent une hauteur de 80 cm au garrot.

LE TATOU
Les Aztèques mangeaient du tatou, dont la chair blanche a le goût du poulet. Chez les Mayas, le tatou est associé à l'au-delà.

Certains tatous mesurent parfois 1,20 m.

Le tatou est un mammifère tropical aux mœurs nocturnes.

L'ALPAGA
Il vit sur les hauts plateaux andins. Les anciens Péruviens l'élevaient en troupeaux car, tout comme la vigogne, sa longue laine est idéale pour le tissage. Ses proches parents, le guanaco et le lama, étaient, eux, chassés pour leur viande. Cependant, le lama était essentiellement utilisé pour le transport des charges. Les anciens Andins faisaient des offrandes à cet animal indispensable à leur subsistance.

Ce vase zapotèque a probablement servi à brûler l'encens.

LES VIGOGNES
Comme l'alpaga, la vigogne (ci-dessus) est élevée pour sa laine dont l'aspect soyeux en fait une fibre délicate. Les vêtements de la noblesse inca étaient réalisés dans cette matière.

Ocelot

OCELOT
On appelle parfois ce chat sauvage le tigre du Mexique. C'est un animal très redouté. Certains guerriers s'habillaient de peaux d'ocelots lorsqu'ils partaient à la bataille.

Les jaguars, les ocelots et les pumas vivent dans les forêts tropicales.

PUMA
Ce félin natif des Amériques est chassé pour sa peau.

Puma

Jaguar

LE JAGUAR SACRÉ
Le jaguar était l'un des symboles les plus puissants de la Méso-Amérique et de l'Amérique du Sud. Sa force, sa férocité, sa ruse, son habileté quand il chasse forcent l'admiration. Ce vase tripode zapotèque (à l'extrême droite) a la forme de ce félin.

Patte terminée par une tête de bébé jaguar

LE NAUVRAGE PROVOQUÉ D'UN CONTINENT

Lorsque les Espagnols débarquent dans le Nouveau Monde, ils ignorent tout des puissants empires des Andes et de la Méso-Amérique. Et les Indiens ne savent rien des Espagnols. Des devins ont prédit à l'empereur aztèque, Motecuzoma II, un désastre imminent. De son côté, l'empereur inca Huayna Capac a entendu dire que des hommes barbus sont apparus sur la côte. Lorsque Cortés entre dans Mexico en 1519 et que Pizarro arrive au Pérou en 1532, ils écrasent vite la résistance de ces empires. Les armées espagnoles compensent la faiblesse de leurs effectifs par l'efficacité de leurs chevaux et de leurs canons. Cortés dispose d'un avantage supplémentaire car les Aztèques croient, au début tout au moins, qu'il est l'incarnation du roi et dieu Quetzalcoatl. En peu de temps, les mondes aztèques et incas sont détruits, leurs temples rasés et leurs empereurs assassinés. Les Mayas résistent jusqu'en 1542, date de la construction de Merida par les Espagnols, et les Incas, réfugiés en altitude, à Vitcos, tiennent jusqu'en 1572.

MOTECUZOMA ACCUEILLE CORTÉS
Lorsqu'ils se rencontrent la première fois, Cortés accueille Motecuzoma II en lui donnant un arc, et l'empereur aztèque lui tend de splendides présents en or, des pierres précieuses comme le jade, et des objets de culte. Cortés est à cheval, et Motecuzoma est porté sur une litière. Les soldats espagnols ont revêtu des cuirasses en acier, tandis que les Aztèques ont de simples vêtements de coton. Cette rencontre sera décisive pour la conquête de Mexico. Motecuzoma, à ce moment-là, est indécis quant à la vraie nature de Cortés : est-ce un humain, un dieu, un ennemi ou un sauveur ? Les événements ultérieurs lui indiqueront que les première et troisième hypothèses étaient les bonnes.

MASSACRE
Les conquistadores sont à la recherche de richesses. Lorsqu'ils rencontrent une résistance, ils tuent les indigènes. Cette illustration représente une expédition au Michoacan, à l'ouest de Mexico : là, de nombreux nobles locaux sont tués pour avoir refusé de dire où leurs trésors sont cachés.

Les guerriers de l'Etat de Tlaxcala soutiennent les conquistadores.

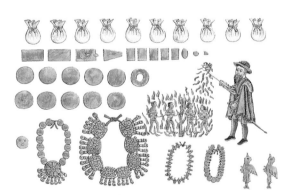

UN GÉNOCIDE POUR L'OR
Cette scène, tirée du *Codex Kingsborough*, représente un collecteur d'impôts espagnol qui punit les Indiens mexicains à Tepetlaoztoc. On le nomme *encomendero*, ce qui correspond à une fonction de colon privilégié. Ici, les Indiens sont brûlés vifs pour n'avoir pas payé leur tribut qui consiste en bottes de maïs et bijoux en or.

Doublons réalisés dans l'or extrait des mines d'Amérique du Sud

LA MALADIE QUE SEUL L'OR PEUT GUÉRIR

Afin de contraindre les peuples d'Amérique latine à leur abandonner leur or, les Espagnols leur répètent souvent qu'ils sont atteints d'une maladie que seul ce métal peut guérir. Cortés et Pizarro s'embarquent tous deux pour les Amériques dans l'espoir d'y découvrir de l'or, qu'ils trouvent en effet en abondance. Au début de la conquête, Cortés envoie un butin au roi Charles V d'Espagne contenant, entre autres, nombre d'objets d'or et d'argent. Au fil des années, de colossales quantités d'or sont importées en Espagne. Aujourd'hui, les plafonds de nombreuses églises espagnoles sont dorés avec le métal provenant des Amériques.

SINISTRE PUNITION

Ce dessin illustre quelques-uns des châtiments utilisés par les Espagnols contre les Incas : on les bat et on les pend par les pieds. La cruauté des conquistadores était telle que certains moines consacrèrent leur vie à dénoncer le comportement de leurs compatriotes.

Francisco Pizarro, conquistador du Pérou

LE COMBLE DE L'AVIDITÉ

Cette caricature représente un Francisco Pizarro cupide, contemplant l'or extrait de sa nouvelle mine péruvienne. Pizarro ne chercha jamais à comprendre les civilisations qu'il contribua à détruire.

Timbale inca en bois, réalisée pour Pizarro

LA TIMBALE DU CONQUISTADOR

On peut voir sur ce *kero* en bois (p. 50) le conquistador du Pérou, Francisco Pizarro. Sous Pizarro, l'Empire inca est sous contrôle espagnol. Les envahisseurs obligent le peuple à abandonner ses terres irriguées, et en exigent davantage de rendement dans les mines de métaux précieux. On impose le christianisme aux Incas, mais ils sont lents à accepter la nouvelle religion et persistent dans leurs anciennes pratiques. Ils continuent leurs artisanats traditionnels, comme le tissage et la réalisation de *keros* en bois, tels que celui-ci.

NOTES

Dorling Kindersley tient à remercier : Mari Carmen Serra Puche et toute l'équipe du Museo Nacional de Antropología, Mexico ; le professeur Eduardo Matos Moctezuma et toute l'équipe du Great Temple Museum, Mexico (INAH.-CNCA. Mex) ; Phil Watson du Birmingham Museum ; Maureen Barry du Royal Museum of Scotland ; British Museum ; Pitt Rivers Museum ; Cambridge University Museum of Archaeology and Anthropology ; Reynaldo Izquierdo (Mexico) et Eugene Staken ; Sue Giles du City of Bristol Museum ; Jabu Mahlangu, Manisha Patel, Jill Plank et Sharon Spencer ; Katharine Thompson ; Victor Hugo Vidal Alvarez et Javier García Martínez de l'Office du tourisme de Mexico ; Lynn Bresler ; John Woodcock et Andrew Nash pour leurs illustrations.
Photographies complémentaires : Geoff Dann (24hd) ; Steve Gorton (39hg) ; Peter Hayman (60cg ; 60c) ; Dave King (61bc) ; James Stephenson

(14bg ; 62-63h ; 63bg) ; Jerry Young (61hd ; 61cg).

ICONOGRAPHIE

h = haut, b = bas, c = centre, g = gauche, d = droite

Archaeological Museum, Lima/E.T. archive : 20bg, 38bd, 51bd, 55bd ; Arteaga Collection, Lima/E.T. archive : 15cd ; Biblioteca Medicea Laurenziana, Florence : 14hcg, 48hg, 51c ; Biblioteca Nacional, Madrid/Bridgeman Art Library : 62cg ; Biblioteca Nazionale Centrale, Florence : 21hg/Photo-Scala : 35cg, 37hg ; Bibliothèque de l'Assemblée Nationale, Paris : 30bg, 56bg, 59bg ; Bristol Museum and Art Gallery : 29bd, 46c, 49bg, 62bd ; British Library/Bridgeman Art Library : 17c, 19hg ; British Museum/Bridgeman Art Library : 54bc ; J.L Charmet : 37bg, 44bg ; Bruce Coleman Ltd : 16hd, 19hd, 60hd, 61hg, 61hc ; Dorig/Hutchison Library : 7hd, 30cg, 34hd ; E.T. archive : 22c, 32hg, 33hcg, 38c, 40cd, 51bd, 57c, 58hg ; Mary Evans Picture Library : 33cg, 45hc, 62bg/Explorer : 40hg ; Robert Harding Picture Library : 11bg, 17hc, 18cd, 18bg ; Michael Holford : 16c, 17hd, 33bg, 54bd, 56hg ; Hutchison Library : 59hd ; Kimball Morrison, South American Pictures : 18hd ; Tony Morrison, South American Pictures : 13hg, 13bd, 15bc, 18cg, 27hg, 27hd, 30hd, 33hd, 40bc, 42hg, 43hc, 57hd ; Museo Ciudad Mexico/Sapieha/E.T. archive : 12hc ; Museo d'America, Madrid/Photo-Scala : 6bd ; Museum Für Vülkerkunde, Vienne : 49cd ; Museum of Mankind/Bridgeman Art Library : 26hcg, 52bd ; National Palace, Mexico, Reproducción autorizada por el Instituto Nacional de Bellas Artes y Literatura /Giraudon/ Bridgeman Art Library : (détail, Diego Rivera « La Civilisation Zapotèque ») 9bg, (détail, Diego Rivera « Cultivation of Maize ») 24bc, (détails, Diego Rivera « The Market of Tenochtitlan ») 53bg, /E.T. archive 26c, (détail, Diego Rivera « Tarascan Civilisation ») 42cd ; Peter Newark : 59hcd ; NHPA/Bernard : 13hcg/Woodfall : 19b ; Pate/Hutchison Library : 17hcd ; Private Collection/ Bridgeman Art Library : 63bd ; Rietberg Museum, Zurich : 10bg ; Nick Saunders/ Barbara Heller : 18c, 19hcg, 23hg, 31hd, 63hd ; Ronald Sheridan/ Ancient Art and Architecture Collection : 51hcd ; South American Pictures : 34c ; University Museum, Cuzco/E.T. archive : 10hd ; Werner Forman Archive/Anthropology Museum, Veracruz : 9hd, /Edward H. Merrin Gallery, New York : 45hd, /National Museum of Anthroplology, Mexico : 53hg ; Michel Zabé : 30-31, 36bg, 47hcg, 49c, 50hg, 51hd, 52bg, 52c/NMA, Mexico : 29hg. Tous les efforts ont été entrepris pour retrouver les propriétaires des copyrights. Nous nous excusons pour tout oubli involontaire. Nous effectuerons toute modification éventuelle dans nos prochaines éditions.